P. Eliécer Sál

¿QUIERE SER FELIZ?

ISBN 958-9492-50-9

ESTE LIBRO SE CONSEGUE EN EN:

LIBRERIA SAGRADA FAMILIA
Urb.La Lomas. Rio Piedras
PUERTO RICO. 00922 T. 793-6802

LIBRERIA DIVINO BIÑO JESUS
San Jorge, 357 Sabturce.
PUERTO RICO. 00912 - Tel. (809) 728-5207

DISTRIBUIDORA LATINO
Av. Miguel Prostella. Galerías Eldorado
Local No. 12 PANAMA

LIBRERIA CATOLICA ATENAS
Tel. 7875984. SAN JUAN, PUERTO RICO

LIBRERIA SAN PEDRO CLAVER
Tel. 7183530956 NEW YORK, U.S.A.

EDICIONES DON BOSCO
Tel. 5357557. MEXICO, D.F.

ALMACENES UNIDOS
Tel. 554444 SAN JOSE, COSTA RICA

LIBRERIA CATOLICA VIRGEN DE MEDJUGORIE
50 NT, BCAC, Tel. 2066670 HEREDIA, COSTA RICA

Printed in Colombia
Impreso en Colombia

Impreso Por
JMC EDITORES
Calle 77 Nº 85 - 05 A.A 95365
Tels.: 251 88 65 - 252 21 42 - 430 1180 Fax: 430 13 98
Santafé de Bogotá, D.C. - Colombia

CON LAS DEBIDAS LICENCIAS ECLESIASTICAS

CONTENIDO

¿QUIERE SER FELIZ?

PROLOGO

¿Es posible que una persona sea feliz en esta tierra?

La camisa del hombre feliz. El célebre escritor Tolstoi cuenta el caso de aquel gobernante de Rusia que estaba moribundo, víctima de terrible enfermedad, y le preguntaron a un semiprofeta ortodoxo qué remedio podría curar al mandatario. El otro respondió: "*Lo único que puede quitarle su enfermedad es que se ponga la camisa de un hombre que sea feliz*". Inmediatamente partieron emisarios o mensajeros a los sitios más diversos de la nación en busca de un hombre feliz. El primero se acercó al hombre más rico del país y le pregunto: -*¿Ud. es feliz?* -El otro respondió: -"No, yo no soy feliz, porque vivo lleno de temores de que me secuestren o me roben, y además los negocios me producen muchas preocupaciones y no andan tan bien como la gente se imagina".

-Otro emisario fue donde el jefe militar más famoso de la nación el cual había obtenido resonantes triunfos en la guerra y le preguntó: -¿Ud. es feliz?- El militar contestó: -"No, yo no soy feliz, porque mi oficio me presenta continuamente graves peligros, y porque cuando se resuelve un problema aparecen diez problemas más"- El tercer emisario se fue donde el político más brillante en ese tiempo, el que salía en los periódicos todos los días y era aclamado por las multitudes y le hizo la misma pregunta: -¿Es Ud. feliz?- El popular político le dijo como respuesta: -"De ninguna manera. Yo no soy feliz. Uds. no se pueden imaginar la cantidad de envidiosos que me hacen todo el mal que les es posible y buscan a todo trance que me vaya mal. Yo no soy feliz".

Y sucedió que cuando ya se estaban perdiendo las esperanzas de encontrar un hombre feliz, uno de los enviados llegó a un pueblecito lejano y detrás de una alta muralla de piedra oyó cantar a un campesino. Lo escuchaba pero no lo veía. Y le gritó desde el otro lado de la muralla: -Hombre, ¿Ud. es feliz?- *Sí, sí* respondió el campesino, *yo soy feliz-* ¿Y por qué es feliz? Le preguntó el reportero- *Soy feliz porque trato de tener siempre contento a mi Dios, y de ayudar y tratar lo mejor que me es posible a mi prójimo y de comportarme cada día como mi conciencia me aconseja. Yo soy feliz-.* «El enviado del alto gobierno saltó emocionado la muralla para pedirle al campesino que le regalara su camisa para llevársela al jefe y que así se curara de su enfermedad, pero... *aquel campesino era tan pobre, tan pobre, que... ni siquiera tenía camisa.*

Y de aquí saca Tolstoi la conclusión de que para ser feliz no hace falta ser rico, ni famoso, ni tener altos puestos, sino vivir en paz con Dios, en armonía con el prójimo y en paz con la propia conciencia.

En este libro no vamos a ofrecer *fórmulas mágicas* para conseguir la felicidad, pero sí trataremos de sacarle el máximo de provecho a *este descubrimiento moderno: que la felicidad no depende tanto de las circunstancias exteriores sino de nuestros sentimientos, de nuestros comportamientos y de nuestro modo de ver la vida.*

Veremos en estas páginas que *los ingredientes para conseguir la felicidad* no son muchos, ni demasiado complicados, ni imposibles de conseguir.

Queremos presentar aquí el cuadro de *la felicidad completa,* y no de esa *media-felicidad* que algunas gentes tratan de conseguir y no cosechan sino desilusiones y desencantos. Porque si sólo goza el cuerpo, la felicidad se queda a medias, y muchas veces resulta más pena que alegría en lo que se consigue, y se cumple al antiguo adagio: ***"Pecar: gozar solo un momento, para llorar después toda una vida".*** Somos alma y cuerpo y para que la felicidad sea completa es necesario que el alma goce también y se sienta contenta, y eso es lo que vamos a enseñar a conseguir en estas páginas. Lo que vamos a explicar en este libro es el fruto de varias docenas de años de experiencia, y a estas enseñanzas se les podría poner el letrero que en las antiguas droguerías colocaban en los frascos de ciertos remedios que producían muy buenos resultados: -"Se ha ensayado, y sus efectos son muy provechosos".

Si logramos que con la lectura de este libro aumente la verdadera felicidad de alguna persona, ya habremos logrado nuestra aspiración.

Cuidado con una equivocación: A un papá que le prohibía a su hija salir con un hombre casado, ella le gritó enfurecida: *"¿Es que yo no tengo derecho a ser feliz?"* La gran equivocación de esta muchacha era que confundía placer con felicidad. Y una persona puede gozar de todos los placeres del mundo, como lo hizo el rey Salomón, y ser al mismo tiempo profundísimamente infeliz como lo fue ese señor, según consta en el famoso libro que la Biblia lo atribuye a él y que se titula *El Eclesiastés*, en el cual proclama que después de haber pasado por todos los placeres del mundo, su espíritu quedó terriblemente desilusionado y triste. *Lo más peligroso en la búsqueda de la felicidad* es tratar de encontrarla donde ella no se encuentra.

Todos deseamos ser felices y hay personas que se proponen ser felices a toda costa, pero lo grave es que solamente existen algunas maneras de serlo verdaderamente, y son demasiado pocos los que están dispuestos a ponerlas en práctica. Por eso hay tanta gente desilusionada que anda proclamando que ser feliz es totalmente imposible y que nosotros no nacimos sino para sufrir.

Pero la verdadera religión dice lo contrario

Jesús empezó su famoso Sermón de la Montaña enseñando *"nueve fórmulas para ser felices:* "felices los que aceptan con ánimo su pobreza, felices los que son mansos en su trato con los demás, felices los puros de corazón; felices los que trabajan por la paz" etc.

Tenemos derecho a ser felices. A quienes dicen creer en Dios pero al mismo tiempo afirman que la felicidad es imposible, habría qué preguntarles si les parece lógico de parte del Creador haber colocado en nuestro corazón un anhelo, un deseo tan grande de obtener la felicidad y luego no permitirnos conseguir la realización de este deseo que es tan imposible de alejar de nuestra alma.

***Hemos sido creados** para ser felices.* Claro está que *felicidad no es ausencia de pena o de dolor.* Las piedras no tienen penas ni dolores, pero ¿son felices? El héroe vencedor ha pasado por penas y aun sufre dolores, pero puede sentirse feliz. *Felicidad es sentirse realizado.*

La Sagrada Biblia proclama a través de sus páginas que *hay personas que sí son felices:* **"Feliz quien medita la Ley de Dios y en ella piensa noche y día"** (Salmo 1). Feliz: quien confía en Dios (Salmo 84). Feliz tú que has creído, porque se cumplirá lo que Dios te ha prometido (Luc. 1). *Felices los que escuchan la Palabra de Dios y la ponen en práctica,* decía Jesucristo. San Pablo repetía: *"Estén siempre alegres"*, y si lo recomienda es porque tiene que ser posible.

El espejo mágico. Los antiguos contaban lo que sucedió a un caballero llamado Deogracias, el cual preguntó a un ermitaño el secreto para ser simpático y vivir feliz. El otro le regaló un espejito y le dijo: "Mírese en él 12 veces cada día y cada vez que se mire en el espejo sonría, suspire profundamente y piense en alguna razón que tiene para sentirse alegre y contento". El hombre practicó tan buen consejo y llegó a un alto grado de felicidad y de simpatía. Lo que le faltaba era pensar en las razones que Dios nos regala cada día para ser felices. Y esas son las que vamos a recordar en las siguientes páginas. Adelante pues: a leer lo que nos va a traer felicidad!

- 1 -

¿QUIERE SER FELIZ?

AME AL AUTOR DE LA FELICIDAD

En una reunión de hermanas carmelitas pasaron una talega con unos papelitos en los cuales estaban escritas ciertas frases que podían servir de tema de meditación o de plan de vida para ese mes. Cada religiosa sacaba una de esas frases y cuando le llegó su turno a Santa Teresita del Niño Jesús y sacó el papelito y leyó la frase que le correspondió en suerte, se le enrojeció de emoción su rostro, se emocionó fuertemente y se propuso que esa frase iba a ser su plan de vida no sólo para ese mes sino para todo el resto de su existencia. La frase decía así: ***"Que si en cualquier momento de tu vida te preguntan:***
Puedas responder: ***"Estoy amando a Dios"***. En verdad que este sí es un lema formidable. Santa Teresita lo cumplió a la perfección y en sólo 24 años de existencia sobre la tierra logró una gran santidad y una contínua alegría. ¿Quién de nosotros querrá aceptar también esta invitación?

Una página admirable. Entre las cien páginas que escribió San Pablo en sus 13 cartas, hay una que se ha vuelto muy popular. Es la que escribió acerca del amor. Está en el capítulo 13 de la primera carta a los Corintios. Dice lo siguiente:

«Hay que desear los mejores dones. Y voy a enseñarles un modo de ser que es mejor que los otros:

Aunque yo hablara todos los idiomas de los seres humanos y de los ángeles, si no tengo amor no soy más que un metal que retumba.

Aunque tuviera una fe capaz de mover montañas, si no tengo amor, nada soy.

Aunque reparta mis bienes entre los pobres y me sacrifique en una hoguera, si no tengo amor, de nada me sirve.

Tres cualidades hay ahora muy importantes: la fe, la esperanza y el amor. Pero la más importante de las tres es el amor».

Y ya sabemos que este amor que tanto recomienda el Apóstol es el amor a Dios y el amor de caridad hacia el prójimo. Si no conseguimos y ejercitamos este amor, nos habremos quedado varados a mitad de camino en cuanto a perfección y en cuanto a la verdadera felicidad, pero si lo logramos adquirir y practicar, aunque nos falten muchisísimas cosas más, ya andaremos a pasos de gigante por el camino de la perfección y de la felicidad.

El mandato más importante. Un anciano de barba muy blanca y cabeza muy calva preguntó un día a Nuestro Señor: *"¿Cuál de todos los mandatos que Dios nos ha dado es el más importante?".* Los mandatos de Dios en la Biblia son varios centenares. Los judíos decían que los mandamientos positivos (que mandan hacer algo) son 365, tantos cuantos los días del año, y que los negativos (los que prohiben cosas) son 248, tantos cuantas son las partes del cuerpo.

Jesús le respondió al doctor de la ley: ***"El primero y el principal de todos los mandamientos es éste: amarás al señor tu Dios con todo tu corazón, con toda tu alma y con toda tu mente"*** (Mat. 22,37). Así que, de todo lo que podamos hacer en la vida, lo que más desea Dios que practiquemos es el amarlo a El con todo nuestro corazón. Ninguna otra ocupación puede igualar a esta en importancia, y en premios.

El descubrimiento de Santa Teresita

Cuenta esta santa en su bellísima autobiografía titulada: ***"Historia de un alma"*** (cuya lectura recomendamos porque hace un gran bien) que ella deseaba saber cuál sería la ocupación para la cual Dios la tenía destinada en este mundo. Y pedía luces al Espíritu Santo, hasta que hizo el gran descubrimiento de su vida. **que lo que vale es el amor con que obramos.** Un día leyendo el capítulo 13 de la 1a. Carta a los Corintios, donde San Pablo dice: *"Si no tengo amor, nada soy"*, vino a descubrir para qué era que la tenía Dios destinada en vida: para amarlo a El y hacerlo amar por los demás. Y escribió: *"Mi vocación es el amor"*, y convirtió sus días y sus horas en continuos actos de amor a Dios. Cuando la gravísima enfermedad a los pulmones la hacía sufrir tremendamente, exclamaba: *"Si yo no tuviera mucho amor a Dios, no sería capaz de soportar estos sufrimientos"*. Y a los 24 años, poco antes de su muerte, que sucedió el 30 de septiembre de 1897 dijo emocionada: *"No me arrepiento de haberme dedicado a amar a Dios"*. Bellísima exclamación que también nosotros podremos repetir al final de nuestra existencia terrenal si desde ahora empezamos a amar a Nuestro Señor.

El mensaje de San Francisco. Cuando este gran santo llegaba a predicar a pueblos y ciudades, su proclamación era ésta: "Mis hermanos, *el Amor de no es amado"*. Para recordarles que Nuestro Dios no recibe de nosotros el amor que le deberíamos tener y demostrar. El se pasaba las noches repitiendo: ***"Mi Dios y mi todo"*** y las horas transcurrían tan breves como si fueran minutos, cuando estaba dedicado a pensar en el amor que Dios nos tiene. Una de sus súplicas más frecuentes era ésta: *"Señor: conózcate a Ti, conózcame a mí"*, y un día le dijo a Fray León: "El buen Dios me concedió la gracia que tanto le he pedido: conocer cuán digno de ser amado es El, por sus maravillosas perfecciones, y cuán miserable soy yo por mis numerosos pecados". Y este conocimiento de las cualidades de Dios lo llenó de amor de tal manera que la gente lo llamaba "El serafín de Asís", y un serafín es un ser totalmente enamorado de Dios. Francisco se sentía el hombre más feliz del mundo porque amaba a Dios y se sentía amado por El. ¿Qué tal que hiciéramos a Nuestro Señor la misma súplica de san Francisco: "Conózcate a Ti, conózcame a mí"?. Cuánto aumentaría nuestro amor por El.! Digamos muchas veces tan bella oración.

La recomendación de San Juan de la Cruz. "Recuerden quienes se dedican a tantas obras exteriores, que mucho más conseguirían para esta vida y para la eternidad, si en vez de tanto activismo externo se dedicaran más a hacer actos de amor a Dios. Así con menos fatigas exteriores ganarían más premios para la eternidad. Que si falta el amor a Dios, lo demás es cosechar viento, y casi todo inutilidad". Son palabras dignas de ser recordadas, porque las dijo uno que sabía muchísimo de vida espiritual. Este santo varón dejó escrita una frase que es repetida en todo el mundo porque es muy cierta y muy importante. Dice así: *"Al final de nuestra vida seremos examinados acerca del amor"*. Santa Teresita al recordar este aviso repetía: "No se nos van a conceder premios eternos por lo brillantes que fueron nuestras obras sino por el amor a Dios que hayamos puesto en lo que hemos hecho". Digno de no ser olvidado nunca.

La frase ganadora de un concurso

Entre la gente que lee la S. Biblia, hicieron un concurso mundial acerca de cuáles eran las frases del Libro Santo que más les agradaban. Y las dos frases que consiguieron más votos fueron éstas: *"Tanto amó Dios al mundo que le dió a su propio Hijo"* (Juan 3,16) y *"Dios es amor"* (Jn. 4,8). Son dos frases dignas de ser repasadas y meditadas muchas veces porque dicen mucho acerca de lo que el buen Dios ha sido y ha hecho por nosotros. Nos dió lo que más amaba y apreciaba, su propio Hijo, y eso solamente porque nos ama inmensamente. Y El *es amor*. Si es amor no hace sino amar, amarnos a todos, a pesar de lo miserables e ingratos que somos. No nos ama porque nosotros lo mereceremos (que no lo merecemos nunca) sino sencillamente porque El es bueno, porque El es amor, y no se cansa nunca de amar.

Y la respuesta debería ser ofrecerle frecuentemente pequeños actos de amor. Y seguramente que nada desea de nuestra parte tanto como esto.

Existen personas que aman siempre, aunque los demás no les correspondan a su amor. Eso se ha comprobado en la vida de muchos santos (por ej. San Francisco de Sales, San Vicente, San Juan Bosco, Santa Teresa, etc.). Es lo que hizo y hace Jesucristo: amar siempre, amar a todos, amar sin cansarse nunca. Y ese es el amor de Dios. La S. Biblia dice: *"Su ira dura un instante. Su bondad dura para siempre"*. Nosotros deberíamos cumplir siempre aquel consejo del apóstol Juan: **"Amemos a Dios, porque El os amó primero"**.

Una frase que cambió una vida

En la entrada de una catedral está escrita una frase: *"Si Dios te amara a ti con la frialdad con la que tú lo amas a El, ¿cómo te iría?"*. Un universitario la leyó un domingo al entrar para la Santa Misa, pero no le impresionó mucho. Al domingo siguiente la volvió a leer y ya le impresionó un poco más. Al tercer domingo ya le causó fuerte impresión, y dejando su vida de indiferencia y de tibieza se dedicó a amar a Dios con toda su alma y llegó a ser uno de los más famosos apóstoles laicos de Italia (Contardo Ferrini). Por qué no hacerme yo también esa pregunta: ***"Si Dios me amara a mí con la frialdad con la que yo lo amo a El, ¿cómo me iría?"***. Es para ponerse a pensar en serio. Porque seguramente me irá muchísimo mejor y seré más feliz, si empiezo a amarlo más.

Un libro que entusiasma por Dios

Entre los 73 pequeños libritos que componen la S. Biblia, el más largo de todos es el de *Los Salmos*. Son los 150 himnos más bellos que se han escrito en el mundo. Muchos santos y numerosas personas espirituales han constatado que empezar a leer y meditar los salmos es empezar a crecer en el amor hacia Dios. Difícil encontrar en todo el Antiguo Testamento un libro que encienda más el amor hacia Nuestro Señor. Los salmos cuentan las inmensas bondades de Dios para con los que lo aman, y van describiendo de manera admirable y emocionante las portentosas obras de Nuestro Señor y sus cualidades infinitas. Sería interesante ir anotando las cualidades de Dios que nos presentan los salmos. Es para emocionarse por El. Dicen por ej.: Amo al Señor, porque escucha mi voz suplicante. Dios es mi alcázar, mi escudo, mi defensa en las batallas de la vida. Aunque mi padre y mi madre me abandonen, Dios nunca me abandonará. Dios es mi Pastor. Aunque camine por sendas oscuras nada temo, porque su vara y su cayado me defienden... Dios perdona todas mis culpas. No está siempre enojado y escucha siempre mi oración. Como un padre siente ternura por sus hijos, así Dios siente ternura por nosotros. (Recomendamos leer el salmo 103 o el 145. Son joyas de la literatura universal, y resúmenes formidables de las cualidades de nuestro queridísimo Dios).

¿Leeré los salmos? ¿Conseguiré un libro de los Salmos para llevarlo conmigo en los viajes? Existe por ej. un bellísimo libro titulado: **"Los Salmos Explicados"** por Sálesman y otro que se titula:

"Liturgia de las Horas para el pueblo" etc. Si al leer y meditar los salmos puedo aumentar mi amor hacia Dios, ¿por qué no leerlos más? Bendeciré mil veces la hora en que empiece a leer con atención los salmos de la S. Biblia. Son un remedio admirablemente bueno para aumentar mi amor hacia Dios y mi felicidad terrena y eterna.

UN GRAN REMEDIO: *"Para lograr amar a Dios, lo mejor es dedicarse a amarlo"*, decía San Francisco de Sales. Y añadía: "Dichosos los que tienen un gran deseo de amar a Dios porque El les concederá lo que desean", ya que el Salmo 145 dice: "Dios satisface los deseos de sus fieles". El gran remedio para que el amor progrese es ejercitarlo. "Hay que repetir y repetir actos de amor de Dios". "Señor: tú sabes que te amo! Jesús: yo te amo mucho". Y decirlo en todas partes. Durante distintas horas del día. Mirando el crucifijo, o el Sagrario, o levantando los ojos hacia el cielo azul en el día, o hacia el cielo estrellado en la noche, o contemplando una flor o un paisaje; en el viaje, en las diversiones, al despertar, al comer, al trabajar, al descansar. Decir: "Te amo mi Dios. Aumenta mi amor". Cuando vemos la torre de un templo o cuando abrimos la Biblia; cuando estamos alegres o cuando tenemos penas y sufrimientos". Te amo Señor. Te amo mi Dios...". La repetición de actos de amor irá intensificando nuestro amor hacia El. Y Dios dilatará nuestro corazón y se cumplirá lo que dice el Salmo 119: "Caminaré por el camino de tus mandatos, cuando ensanches mi corazón".

Un consejo de San Bernardo

Es difícil encontrar en la Iglesia un santo que haya amado más a Dios que el famoso San Bernardo (que vivió hacia el año 1111). Y él aconsejaba esta fórmula:

"No andes buscando tantos modos de arrancar malezas de tu alma. Préndele fuego de amor de Dios a tu espíritu y verás que las malezas van desapareciendo. Yo quiero quemar con los incendios de mi amor a Dios la inmensa cantidad de malezas que quieren invadir mi alma. De todas las almas que viajan hacia Dios llegarán primero y subirán más alto las que más lo hayan amado a El. Dedícate a amar al buen Dios y todos los demás bienes te llegarán por añadidura". Bellas frases dignas de volverlas a leer.

Una pregunta angustiante. Cuando Jesús resucitado se apareció a sus apóstoles en las orillas del Lago Genesaret le hizo a Pedro esta pregunta: *"¿Me amas más que estos?"* -Pedro miró a Juan, a Santiago, a Felipe y Bartolomé, y no se atrevió a decirle que lo amaba más que ellos, porque sabía que esos hombres amaban muchísimo a Jesús. Por eso únicamente se atrevió a decirle tres veces: "Señor tú sabes que te amo"(Y con esas tres declaraciones de amor a Jesús le fueron perdonadas las tres negaciones que había hecho el Jueves Santo, porque el mejor modo de obtener el perdón del Señor es dedicarnos a demostrarle que sí en verdad lo amamos).

Y así ahora Jesucristo nos hace a cada uno de nosotros esa misma pregunta que le hizo a Pedro ¿Me amas más que lo que me aman tus familiares? ¿Me amas más que tus vecinos? ¿Me amas más que los que viajan contigo en el bus, o los que andan a tu lado en la calle? ¿Qué le podremos responder? Pensémoslo un momento, porque de ello puede depender mucho para nuestra vida y nuestra felicidad y santificación.

El consejo del monje hindú

Cuenta Tony de Mello que un hombre fue a consultar a un monje hindú que tenía fama de gran santo, y le pidió que le diera un remedio para crecer en santidad, y el santo religioso le dijo como único consejo: ***"Diga mil veces «Dios mío te amo"***. (o "Jesús yo te amo"). Al consultante le pareció muy difícil cumplir ese consejo y el monje le dijo: "Trate de hacerlo y si alguna vez lo logra, viene y me cuenta qué sintió". A las pocas semanas volvió el hombre y el monje le preguntó:

-¿Dijo las mil veces "Dios mío yo te amo"? (o "Jesús yo te amo?").

El otro le respondió:

-Mil veces no. Diez mil veces, lo dije.

¿Y qué ha sentido en su alma?

-Una paz, una alegría, un crecimiento de mi amor a Dios, de mi amor a Cristo Jesús, y una paz, como nunca antes la había sentido así".

Y cuenta el escritor que allá en la India muchísimos monjes llevan consigo una cuerda llena de pepitas para ir contando cuántas veces le dicen al día a Dios que sí lo aman. Si yo llevara algo con qué contar las veces que le digo cada día a mi Dios, a Cristo

Jesús, que sí lo amo, ¿cuántas veces lograría sumar en total? Puede ser que me resulten mucho menos de lo que sería de desear. ¿Cuántas veces le habré dicho a Dios que lo amo, cuando en esta noche me vaya a descansar? ¿Cuántas, Señor? Haz que sean muchas y cada día más y más. Amén.

Nadie ama lo que no conoce

Hay una ley en la sicología universal que advierte que nadie ama lo que no conoce. Y esto hay qué recordarlo respecto a nuestro Dios. Cuanto más conozcamos sus cualidades, sus obras en favor nuestro, su santidad y su inmenso amor, tanto más lo vamos a amar. Pero si no nos interesamos por pensar en lo mucho que El vale y que El es, seguramente que nuestro amor se va a quedar raquítico y sin crecer.

Santa Teresita en plena tormenta, mientras otros temblaban de susto, ella sonreía pensando: **"Qué poderoso es nuestro Padre Dios"** San Ignacio y San Juan Bosco al contemplar un cielo estrellado se estremecían de amor hacia Dios al pensar que El es quien ha creado tantas maravillas en el firmamento. San Francisco al ver los campos llenos de flores les decía: "Florecitas: Ustedes me están pidiendo que alabe a mi Dios que les ha dado tanta belleza".

¿Pienso en los favores que Dios me ha hecho. Recuerdo su infinito poder, su gran bondad? ¿Me dedico a pensar en su maravillosa belleza? ¿Recuerdo que me tiene preparado un cielo para siempre y que me perdona y me ama? Todo esto puede hacer crecer mi amor hacia El.

POEMA

Señor: si te cierro la puerta
de mi corazón,
derrúmbala te ruego,
pero no te vayas lejos de mí.
Si las cuerdas de mi alma
dejan de vibrar para Tí,
espera un poco Señor,
pero no te alejes de mí.
Si llego a poner un ídolo
para amarle en vez de Tí,
ten piedad de mi locura Señor, pero
no me alejes de Ti.
Si un día al oír tu voz, no te respondo,
no te alejes Señor. Despiértame y
sigue llamándome
y haz que logre amarte siempre
por toda la eternidad.

(Rabindranah Tagore)

- 2 -

¿QUIERE SER FELIZ?

PRACTIQUE LA BELLA VIRTUD

Un gran pensador, Tirso de Arellano, escribió: "Cuando el amor es sólo sexo se produce la más espantosa degradación y el peor envilecimiento de la persona humana. El absurdo comienza cuando la persona coloca el erotismo, en lo más alto de la escala de valores y confunde amor con los impulsos genitales".

La castidad no es nada fácil pues existe un cierto magnetismo animal que hace a algunas personas irresistiblemente atractivas. La juventud lleva consigo un grado de belleza y puede provocar erotismo. La elegancia, la belleza, la provocatividad, incitan mucho las pasiones. La atracción es una llamada que uno emite y otro capta. Y eso se produce continuamente. Por eso es que el guardar la castidad es una de las cosas más difíciles que existen, porque ella es el fruto de una lucha de cada día.

El amor es apetito de belleza. El amor es el estribillo de la mayor parte de las canciones. (Y ahora muchas canciones ya no tienen letra sino "letrina"). Lástima que para muchos y para muchas el amor se vuelve un paroxismo de egoísmo, que

PARA TODO EL QUE OBRE MAL, TRISTEZA Y ANGUSTIA VENDRAN

(S. Biblia Rom. 2)

disfrazado con careta de verdadero amor, está muy lejos de ser amor verdadero (Paroxismo es un acceso violento y exagerado).

Ciertas amistades son como las mariposas. Estas se cubren de bellos y atractivos colores, para poder ir esparciendo por todas partes sus larvas destructoras. Cuántas amistades sensibles, bellas como mariposas, llenan su alrededor de mortandad.

Jesús hacía una seria advertencia: "Cuidado: no les echen sus diamantes a los perros y lo sagrado a los cerdos, porque se volverán contra Uds. y los atacarán con furia" (Mat. 7,6). Es lo que sucede cuando siendo nosotros personas creadas a imagen y semejanza de Dios, y por lo tanto muy sagradas, y además, seres conquistados y comprados con la Sangre de Jesucristo (y por eso mismo más valiosos que un diamante) echamos este cuerpo nuestro a pecar, entregándolo a quienes son tan escandalosos como perros y tan indecentes como los cerdos. El resultado será que se volverán contra nosotros y nos harán mucho mayor daño del que podamos ahora imaginar.

El niño del mal gusto. Un jovencito criado en un bellísimo palacio en medio de pulcritud y brillo, vestido con los más hermosos y limpios vestidos, vió por la ventana a unos niñitos pobres jugando con el barro de una alcantarilla, y caprichosamente empezó a gritar: -"Yo quiero ir allá a revolcarme con ellos entre el lodazal". La familia quedó aterrada ante semejante petición. ¿Pero no es eso lo que hacemos cuando aceptamos malos deseos? Cuando uno se deja dominar por la sensibilidad se vuelve erótico, y cuando lo que domina es el deseo sensual, ya se es esclavo de la libido, o lujuria o impureza. Barrizal maloliente que mancha y contamina y deja solo desilusión, es la impureza.

Lo que cada uno
cultiva,
eso cosecha.
Quien cultiva
Buenas obras
cosecha
Vida eterna

San Pablo

Una diferencia. Es necesario saber distinguir entre "querer" y "amar". Se quiere a otro porque nos gusta. Se ama, porque somos de buen corazón y deseamos el bien de los demás. Muchos de nosotros tendríamos que repetir la frase que un moribundo decía con amargura: *"Muchas veces he querido, pero muy pocas veces he amado";* cuando me dediqué a "querer" perdí mi tiempo, cuando supe "amar" gané premio para el cielo". Sería interesante preguntarse: "¿cuántas personas estoy "queriendo" y a cuántas estoy amando?". Porque hay gente que "quiere" a muchos, pero no "ama" casi a nadie. Error fatal!

Los sicólogos dicen que las faltas contra la castidad hacen estragos en los nervios y traen vejez prematura. "Pero - comenta Santa Teresa- es extraño lo mucho que el cuerpo quiere ser satisfecho. Como tenga algún atractivo lo otro, el cuerpo engaña al alma y se va tras el falso amor".

Un antiguo autor aconsejaba: "Tratemos de convencernos con la ayuda de la fe, de que lo que amamos sólo por instinto y por amor sensual es transitorio, vano, engañoso, y desilusionador, y que en cambio cuando lo que se ama por amor de caridad y con amor sobrenatural, eso sí es duradero y valioso y nos trae alegrías en la vida y gozos en la eternidad".

El sabio Jagot escribió: -"El amor concupiscente nubla el entendimiento y nos lleva a cometer acciones ridículas y hasta verdaderas locuras; la lujuria desgasta el sistema nervioso y produce enfermedades como la neurastenia y la anemia cerebral".

El Santo Cura de Ars, famosísimo predicador popular, decía: "Si Jesús prometió que los puros, verán a Dios, ¿qué mayor premio podemos desear? Con tal de lograr ver a Dios bien vale la pena renunciar a cualquier goce sensual y en esforzarse por ser puro. Quien consigue la castidad obtiene al mismo tiempo muchas virtudes más porque la pureza exige una gran fuerza de voluntad para defenderla. Y quien tiene fuerza de voluntad adquiere muchísimas virtudes".

San Agustín exclamaba: "Los que son castos crecen como los lirios: derechos hacia el cielo, y embalsamando el ambiente que los rodea"

Y en cambio quien desde joven no se esfuerza por conseguir la castidad, puede llegar a ser un viejo desvergonzado. Y ¿cómo se sentirá un alma así al comparecer en el Juicio ante Dios que es la Pureza total?

Enemigos feroces

Cuántos ojos y cuántas manos se manchan cada día con la impureza. Y es que la hermosa virtud tiene muchísimos enemigos: el ambiente impuro que nos rodea, los medios de comunicación: cine, TV, radio, prensa, revistas; las malas amistades... Pero *el peor enemigo de la pureza somos nosotros mismos,* porque nuestra carne quedó debilitada e inclinada al mal desde el pecado original y nos induce furiosamente a la corrupción. Si no estamos continuamente sobre-aviso, nos derrota y nos hace caer en pecado.

Unas ventanas peligrosas. Los especialistas en castidad afirman siempre que lo primero que una persona tiene qué dominar si quiere conservar la pureza son los ojos. *"Ojos que ven, corazón* *que siente;* y corazón que siente, es corazón que consiente. Pero ojos que no ven, corazón que no siente, o siente muchísimo menos. Esto lo dice la experiencia de todos los días. Muchísimos cayeron en la impureza por no haber dominado su vista. Y es que ya Cristo dio el aviso diciendo: *"Las ventanas de tu cuerpo son tus ojos. Si dejas por allí entrar a tus enemigos, acabarán con tu alma".* Si se mira todo lo que se desea mirar, se caerá en pecado impuro. Cuántos caen en el pecado de la masturbación, sólo porque han mirado escenas feas en la TV. Nunca sobrará recordar el secreto del Santo Job: *"Hice un pacto con mis ojos, de no fijar la vista en persona joven y atractiva"* (Jb. 31). Si nosotros hiciéramos ese mismo pacto, nuestra castidad sería maravillosa y mucho más fácil de conservar. Hagamos el ensayo!

San Juan Bosco -el gran educador- advertía a sus discípulos: *"Los dos sentidos que hay siempre qué dominar si se quiere conservar la castidad, son la vista y el tacto.* Quien no domina estos dos sentidos, no tendrá jamás una verdadera pureza".

Preguntado San Juan Vianey si había algún favor que era necesario pedir a Dios todos los días respondió: -"Sí, hay uno, y muy importante: día por día hay qué pedir en la oración la gracia de lograr conservar la castidad, porque esta virtud, quien no la pide mucho, mucho, no la logra conservar", Y ese gran santo aconsejaba: "Pidamos día y noche a Nuestro Señor y a la Virgen Santísima que nos den un alma y un corazón puros y un cuerpo casto. Así le agradaremos a Dios en esta vida y le glorificaremos en la eternidad".

Las amistades indebidas

Una persona muy piadosa describió así lo que fueron para su vida las amistades sensibles e inconvenientes:

En mis tiempos buenos
tuve amigos malos.
Aparecían amables- y me dieron palos.
Y después que hubiéronme
herídome el alma
los ruines se fueron hasta con mi calma
dejaron la cartera -sin nada, sin nada.
Y la blanca tela -del alma, manchada.

Muchos de nosotros podemos ponerle la firma a la narración anterior, porque es el retrato de lo que nos ha sucedido. Ciertas amistades nos dejaron herida el alma, se fueron con nuestra calma y mancharon nuestra existencia. Qué lástima!

En la virtud de la castidad nadie, por santo y viejo que sea, es fuerte, y por lo tanto nunca debe exponerse, porque quien se expone cae.

Buenas ganancias. Jesús hizo una promesa maravillosa: "Quien renuncie a algo por amor mío, recibirá cien veces más en esta vida y después la vida eterna". Cualquier renuncia o sacrificio que hacemos por conservar la castidad nos traerá premios que no somos capaces ni de calcular.

En cambio el deleite ilícito deja el corazón descalabrado y la conciencia herida, y se sigue cumpliendo lo que dijo el profeta Isaías: *"No hay paz para los que obran el mal"* (Is. 48,22).

La paz que produce la castidad supera en mucho al placer que producen la impureza y la sensualidad. Dejamos un amor sensual y encontramos muchos amores espirituales. Nos vencemos en un goce sensual y experimentamos cien goces en el espíritu.

En la santidad no se excluyen las debilidades y faltas, pero se exige no hacer paces con ellas, y pedir perdón a Dios y seguir luchando.

Con los sacrificios que hacemos por no pecar, vamos creciendo en el espíritu. ***Mérito es el derecho al premio.*** Y con la castidad se consiguen méritos.

San Luis Gonzaga repetía: "No hay comparación entre lo que me cuesta el pequeño sacrificio que tengo que hacer por no pecar, con la gloria inmensa que voy a tener en la eternidad". Esto lo llevó a una gran santidad y a una pureza perfecta.

Una buena petición. Una mujer decía: "le pedí mucho a Nuestro Señor que me quitara el atractivo físico que sentía hacia un amante que no me convenía, y que me concediera vergüenza por mi mal comportamiento, y me concedió esa gracia y recobré mi pureza.»

Ojo con los excesos emocionales

Quien es emocional tiene impresionabilidad extrema, por eso debe estar alerta para no dejarse llevar por sus emociones porque le traerán desastres en castidad. El Dr. Jagot, especialista en formación de la voluntad, hace a este respecto las siguientes recomendaciones:

"Anote las principales clases de emociones a las cuales siente más predisposición. Anote en qué circunstancias ha experimentado más vivamente esas impresiones. Describa los trastornos que ha sufrido en cada una de estas circunstancias. Ojalá por escrito. Es mejor.

"Trate de atacar en sí mismo estas emociones. Recuerde las circunstancias en las cuales la emoción alcanzó su máxima intensidad, y trate de evitarlas. Planee proceder con mayor impasibilidad la próxima vez, y si es posible evite esa circunstancia. Mire a lo lejos y diga: "Me controlaré". "Necesito controlarme, porque esto me hace daño". "Dios mío vén en mi auxilio. Vén en mi ayuda que me están derrotando".

"Represéntese la última vez que sintió que la emoción le conmovía peligrosamente. Represéntese el descontento y el desagrado que le producen esas reacciones excesivas. Recuerde el desgarramiento interior que ellas le han traído. Háblese a sí mismo sosegadamente y dígase: "No es posible continuar así. Esto debe mejorar. En adelante no debo exponerme a la ocasión, y si ésta llega no hay qué perder la calma". -Y trate de convencerse diciendo: "Cada vez voy a dejarme llevar menos por esta emoción. No me conviene. Me hace daño. Desde ahora voy a controlar mis emociones. Dios me quiere ayudar y me va a ayudar. Yo, por mi sola cuenta no podré triunfar. Pero con el auxilio de Dios nada me será imposible".

Un enemigo muy traicionero

Cada uno de nosotros tiene un enemigo peligrosamente traicionero y dañino. Es *"el defecto dominante"*. Aquel defecto que mayor número de faltas nos hace cometer. Si para alguien su defecto dominante es la sensualidad, osea la debilidad para caer en pecados impuros de pensamiento, miradas, palabras u obras, le recomendamos leer el siguiente párrafo que es magistral. Lo escribió un gran sabio, el Dr. Koch. Y si alguien no tiene la sensualidad como defecto dominante, también le recomendamos su lectura. Dice así:

"Todos tenemos un enemigo doméstico. Conoce bien la casa. Nació en ella. Vivió siempre en ella. La recorre constantemente. No hay allí región que no conozca. Sabe cuáles son nuestras costumbres, nuestras simpatías, debilidades, inclinaciones y sentimientos. El se llama: "EL DEFECTO DOMINANTE. Nuestro defecto principal". Nació dentro de nosotros mismos y nunca nos abandonará. Nos acompañará hasta que exhalemos el último suspiro. Tiene una celda misteriosa allá en lo más íntimo de nuestro ser, donde están nuestros deseos y nuestras concupiscencias. En unos se llama "Orgullo" y en otros "Avaricia". Para unos es "deseo de tomar bebidas embriagantes" y para otros se llama "pereza o desgano para esforzarse". Para alguien su defecto dominante es la Ira, o el Malgenio, y para muchísimos y muchísimas el espantoso defecto es LA IMPUREZA, LA SENSUALIDAD.

El defecto dominante trabaja dentro de nuestra alma, trazando planes y preparándonos trampas mortales. Interviene en todas las épocas de nuestra vida y se muestra descaradamente en ciertas ocasiones. Está dotado de una vitalidad asombrosa. Empieza débil como un niño y va creciendo en poder y dominio hasta hacernos sus esclavos. Y si no lo combatimos, llegará a dominarnos y a llevarnos al fracaso".

Con razón San Ignacio de Loyola recomendaba que para llegar a la perfección es necesario dedicar cinco minutos cada día a examinarse acerca del modo cómo se está combatiendo al Defecto Dominante. Porque si no lo atacamos y debilitamos, él sí nos atacará sin compasión y nos debilitará hasta grados de extrema gravedad.

San Beda escribió hace muchos siglos esta bella frase: *"El demonio y la tentación huyen cuando oyen el clamor de la súplica humilde a Dios"*. Y en este siglo L. King añadió otra frase no menos bella: *"La tentación tocó a la puerta. La fe y la oración salieron a recibirla, y la tentación salió huyendo"*.

Una victoria para cobardes

El terrible guerrero Napoleón afirmaba que en la única batalla en la cual solamente resultan vencedores los que saben huir a tiempo es en la batalla contra las tentaciones impuras. Y es que en otras virtudes es valentía enfrentarse con la dificultad, pero en ésta hay qué alejarse. No pensar en los objetos que nos llevan a obrar mal; evitar la compañía de las personas que pueden inducirnos al pecado y desviar la atención hacia otros objetos, porque aunque estemos en un alto puesto o tengamos mucha sabiduría o hayamos recorrido ya largos caminos de perfección, la naturaleza reacciona como en toda otra persona y si nos descuidamos podremos caer en gravísimas faltas. No caer es un milagro de la gracia, pero Dios no concede este milagro a quien se expone a la ocasión. La carne anda con nosotros y al menor descuido nos lleva al abismo de la impureza. En esto es preferible pasar por grosero y maleducado, huyendo de ciertas compañías y familiaridades y reuniones, qué mostrarse muy sociable pero mancharse el alma con pecados horrendos.

El *premio es gordo*. Recordemos que Dios nunca se deja ganar en generosidad.

Cada sacrificio que hacemos por evitar el pecado, nos traerá un premio increíblemente grande y duradero. Dice la S. Biblia que

LAS MALAS AMISTADES CORROMPEN LAS BUENAS COSTUMBRES

(S. Biblia 1 Cor. 15)

José en Egipto rechazó la insinuación de una mujer mala y prefirió irse a la cárcel antes que cometer una acción impura, (sabiendo que los ojos de Dios lo estaban viendo). Pero de aquella cárcel lo sacó Nuestro Señor para hacerlo Primer Ministro de la nación. A Dios nunca se le trabaja barato. Paga siempre salario máximo aquí y en el cielo. Ciertas personas no han recibido más premios de Dios porque no han hecho más sacrificios por no pecar. Quien cultiva con tacañería, cosecha poco, pero quien cultiva con generosidad, obtendrá muy buenas cosechas de recompensas divinas.

La causa de muchas pérdidas

Santa Teresa decía que Dios a una persona que se esfuerza por conservar la castidad le concede favores especialísimos y la conversión de muchos pecadores. Pero lo contrario les sucede a quienes andan "como cojeando": un rato con Dios y otro con sus impurezas. Cuánto daño se hacen a sí mismas estas personas y cuántas gracias y favores divinos dejan de recibir por no esforzarse un poco más por defender su castidad. Ese amor egoísta que busca más satisfacerse a sí mismo que agradar a Dios, es un "amor en cojera" que no agrada ni a Dios ni a las creaturas. La antigua canción repetía: "Corazones partidos, yo no los quiero. Cuando doy el mío lo doy entero". Pero con Dios sí en verdad no somos así. Le damos apenas migajas de nuestro corazón, y el resto lo repartimos entre amores sensibles y así nos quedamos: siempre mendigando satisfacciones sensuales, y siempre consumiéndonos en la sed de la sensualidad que no se sacia nunca. Ni el cuerpo satisfecho, ni el alma contenta. Qué lástima!

- 3 -

¿QUIERE SER FELIZ?

ALÉJESE DE LA IMPUREZA

Baales dañosos. Dios en la S. Biblia insiste mucho en que se disgusta enormemente cuando alguien adora Baales. Y la palabra *"Baal en el idioma de la Biblia significa: "amante" al cual se le entrega el corazón.* Cuando en el día del Juicio Final se sepa a cuántos "baales" estuvimos nosotros rindiendo culto en esta vida, va a ser una sorpresa muy desagradable y humillante. Quizás se pueden contar por docenas. Y es tenebrosa la descripción que el Libro Santo hace de lo que es un "Baal". Es un ídolo falso, un objeto que no satisface plenamente el deseo de amar y de ser amados que todos tenemos y que en cambio nos roba el amor que debemos a Dios. Es un "engañabobos y bobas", y no tiene ningún poder ni capacidad para hacernos felices. Y lo triste es que en cada época de nuestra vida nos dedicamos a entregar el corazón a algún "Baal", o amante engañoso que nos atrae pero que en vez de llenar de paz nuestro espíritu sólo consigue llenar de amargura el alma.

Con razón a San Juan Eudes le gustaba tanto repetir aquella bella oración que le enseñó una mujer de pueblo: *"Señor: que si una amistad no me es provechosa sino dañosa para el alma, yo no le tenga simpatía, sino aversión y antipatía".* Es que cuando una amistad se convierte en "Baal" que aparta y aleja del amor al verdadero Dios, no podemos menos de tenerle antipatía y asco como a lo más dañoso y asqueroso del mundo.

¿Cuántos "Baales" se están robando actualmente el amor de mi corazón? Interesante hacer la cuenta y analizar a cuáles les estoy dando mayor adoración. Seguiré yo adorando esos falsos ídolos que no me van a traer verdaderas alegrías sino desilusión? De tan grave mal, líbrame Señor!

Inminente peligro. Quienes tienen poca fuerza de voluntad y mucha sensibilidad y afectividad, cuando arrecia la dificultad, donde antes decían SI, dicen NO. Y cambian sus buenos propósitos de santidad por malas obras contra la castidad. Y viene una grave y peligrosa ilusión, por emocionarse por una creatura vana y pasajera derrumban en poco tiempo montones de ideales y sacrificios acumulados en tantos años. Cuántas lágrimas y suspiros han producido las reacciones equivocadas de quienes ante la atracción sensible de una creatura fueron infieles a los compromisos sagrados que tenían como creyentes. La culpa grave empieza cuando siendo consciente de lo dañosa que es una afectividad, no se corta a tiempo y se le deja

tomar fuerza y luego se llega a ser esclavo de ella.

Muchos y muchas se han dado cuenta de su equivocación ya demasiado tarde, cuando se les desvanece el objeto de sus ilusiones. ¿Por qué no pensar seriamente en esto antes de que lleguen las amarguras de la tardía desilusión?

Hay qué cortar con ciertos tratos y amistades que empañan la modestia cristiana y afectan la castidad.

La sensualidad enerva la voluntad y quita agilidad para la unión con Dios.

El famoso Kempis gustaba repetir a sus discípulos: "Recuerden que en el día del Juicio estaremos solos con Dios para darle cuentas de nuestros comportamientos. Ese día del Juicio ya está más cerca de lo que imaginamos. ***Y Dios no nos llamó para que nos dediquemos a los deleites de la carne, sino para que le sirvamos en santa pureza".***

Dos hermanos gemelos

Los santos dicen que el orgullo y la impureza son dos hermanos gemelos que andan siempre juntos. Mejor dicho: donde se acepta y cultiva el orgullo, allí llega infaliblemente su hermana la impureza. Ella es su compañera inseparable.

San Agustín decía: "A algunos les conviene tener faltas manifiestas para que aprendan a humillarse y a no enorgullecerse".

San Alfonso con su estilo vigoroso y directo exclama: -Pregunten al impuro por qué cae siempre en las mismas torpezas, y si quiere hablar con franqueza tendrá qué responder que es por el orgullo; la causa de sus recaídas es que tiene demasiada estima de sí mismo y Dios en castigo de su orgullo permite que caiga en el fango del pecado. Y se cumple en su persona lo que dijo San Pablo: "Por lo cual los entregó Dios a los malos deseos de su corazón, dejándolos ir tras las torpezas, hasta irrespetar sus propios cuerpos" (Rom. 1,24).

Un cambio de fórmula

Alguien decía que no abandonaba una mala amistad porque no era capaz y no podía, y el sacerdote le puso de penitencia ir cada día durante 10 días ante el altar de Cristo Crucificado y decir siete veces: *"Señor: no es que no puedo. Es que no quiero. Es que no quiero. No quiero"*. A los 15 días fue capaz de dejar esa mala amistad. Logró convencerse de que ciertos pecados no dejamos de cometerlos no porque no podemos, sino porque no queremos.

El escándalo. San Juan Vianey, el sacerdote que convirtió tantos miles de pecadores exclamaba: -Para muchos jovencitos y muchas jovencitas, menos peligroso habría sido encontrarse con un tigre o con un perro rabioso que con ciertos individuos que se arrastran y se revuelcan en el fango de las impurezas. ¿Quiere alguien conocer el mal tan inmenso que hace con sus escándalos y malos ejemplos? Arrodíllese ante Jesús Crucificado e imagínese que está siendo juzgado por el Divino Juez. ¿No es cierto que no quisiéramos morir después de haber dado un mal ejemplo?

El pensamiento, el recuerdo y el deseo

El deseo impuro es peor que el pensamiento porque es querer realizar lo que pensamos; es querer cometer el pecado de impureza.

El andar recordando impurezas pasadas es volver a revolcarse entre el barrizal después de haberse lavado. El demonio trae estos recuerdos con la esperanza de excitar de nuevo el deseo y obtener de nuevo la repetición de la falta.

Uno que eligió lo peor

Una leyenda árabe cuenta que un hombre escuchó en sueños al diablo que le proponía cometer uno de estos tres pecados: emborracharse, o pecar con una mujer mala o pegarle a otro. El hombre eligió emborracharse, pero una vez que ya estuvo borracho, pecó con una mujer mala y le pegó a otro. Es que el alcohol lleva a todas las maldades. El Libro de los Proverbios afirma: *"con las bebidas alcohólicas llega la impureza"*. Irse por el camino del alcoholismo es irse por el camino de las peores impurezas y bajezas.

Algo que desearía que no existiera

El día en el que al gran poeta Rafael Pombo lo coronaron solemnemente en Bogotá, dijo ante la multitud: "Yo escribí en mi juventud una poesía titulada "Horas de tinieblas", que es una mancha en mi vida de cristiano. Quiero que se tenga por no escrita, y ojalá lograra hacerla desaparecer...". De cuántas de nuestras actuaciones impuras tendremos qué repetir lo mismo: son una mancha en mi vida; quiero que se tengan por no cometidas, y ojalá lograra hacerlas desaparecer". Lástima que ello ya no es posible.

Algo raro. El Sabio Rahner decía: "La castidad es una virtud muy poco moderna. Ahora como que la gente prefiere lo contrario. Y es una fatalidad".

Y ya Santa Teresa hace 400 años se quejaba diciendo: "en nuestro tiempo, la gente dice que no es capaz de tanta perfección". Y añade: "¿Que hay debilidades humanas? Yo las tengo más que los demás. Pero lo grave es justificarlas y andar buscando excusas para no corregirse de la mala conducta".

¿Acaso ha habido un tiempo en la historia en el cual ser casto haya sido fácil? Ese tiempo no lo ha habido ni lo habrá aquí en este mundo. La castidad es una virtud difícil. En ella se cumple lo que dijo Cristo: *"El Reino de los cielos padece violencia y sólo los que se hacen violencia a sí mismos, lo conseguirán"* (Mat. 11,12).

Siempre se necesitan profetas con lengua de fuego como Juan Bautista, que despierten las conciencias dormidas y repitan a los impuros lo que él le decía al rey Herodes: "no te es lícito ni permitido llevar la vida impura que estás viviendo".

Si se esperan tiempos mejores para empezar a ser castos, nunca se llegará a serlo.

Algunos por el deseo de evangelizar fácilmente al mundo, terminan mundanizando el evangelio y mundanizándose ellos mismos.

Afirmaciones de sabios y santos

San Agustín afirma: "A Dios lo conmueven la oración del inocente y la súplica del arrepentido". Y Rahner añade: *"No se experimenta nada plenamente hasta que no se deja plenamente lo contrario.* Mientras se tenga el corazón dividido y se viva retozando en el placer prohibido, el alma no puede ser feliz.

El Código de Derecho Canónico manda: *"Es necesario evitar la familiaridad con toda persona que ponga en peligro el compromiso que tenemos de ser puros."* (C. 277). Es necesario alejarse de esas personas fáciles que llevan al peligro de ofender a Dios.

Y San Agustín cuenta: "En mi juventud aprendí por amarga experiencia que no hay peor enemigo de la castidad que el orgullo. Si uno se cree

autosuficiente se pone en peligro y tarde o temprano caerá. Si no es humilde, si no reza y no evita la ocasión, caerá sin remedio". Frases dignas de que las volvamos a leer, porque son impresionantes!

Y este gran santo añade: "El poder y la gracia de Dios son muchísimo más potentes que todas las pasiones juntas y que todas las concupiscencias y los malos deseos. Esto me anima y me lleva a recordar la maravillosa frase de San Pablo que decía: *"Todo lo puedo en Aquel que me fortalece"*.

OJOS QUE VEN: CORAZON QUE CONSIENTE

El Libro del Eclesiástico, en la S. Biblia trae estos consejos muy prácticos: *"No fijes tus ojos en persona hermosa porque te puede atraer con sus seducciones. Porque por la belleza se perdieron muchos"* (Ecl. 9,8).

Por eso San Felipe Neri en 40 años que estuvo confesando en Roma a las señoras más elegantes, nunca supo cómo era el rostro de una de ellas, y San Luis en varios años de secretario en el palacio del gobernador no miró el rostro de una mujer, y San Antonio Claret al darse cuenta de que un individuo fijaba mucho la vista en el rostro de personas hermosas, se convenció de que ese tal a pesar de sus apariencias de santidad no era nada santo, y poco después pudo constatar que era un pobre y miserable pecador. Es que: "ojos que ven, corazón que consiente". Esto no falla. Por eso: a cuidar un poco más la vista tan inquieta e imprudente!

PALABRAS QUE CONVIENE ENTENDER BIEN
DEFINICIONES DEL CATECISMO
DE JUAN PABLO II

LUJURIA: Es un deseo o un goce desordenado del placer sexual (2351).

MASTURBACIÓN: Es la exitación voluntatia de los órganos genitales a fin de obtener un placer. Toda la tradición de la Iglesia Católica ha declarado que la masturbación es un acto intrínsecamente desordenado é indebido. Para saber qué tanta es la gravedad de la masturbación en cada caso, hay que tener en cuenta la inmadurez afectiva, la fuerza de la costumbre y el estado de angustia, que pueden disminuir mucho la culpabilidad (2352).

FORNICACIÓN: Es la unión carnal entre un hombre y una mujer, fuera del matrimonio. Es gravemente contraria a la dignidad de las personas. Y es un escándalo grave cuando hay de por medio corrupción de menores (2353).

PORNOGRAFÍA: Consiste en dar a conocer actos sexuales, reales o simulados, exhibiéndolos ante terceras personas de manera deliberada. Ataca gravemente la dignidad de quienes se dedican a ella (actores, comerciantes, público). Es una falta grave.

HOMOSEXUALIDAD: Son las relaciones entre hombres o mujeres que sienten una atracción hacia personas del mismo sexo. La Sagrada Escritura y la Tradición de la Iglesia declaran que los actos homosexuales son intrínsecamente desordenados, y son depravaciones graves, contrarias a la ley natural. No pueden recibir aprobación en ningún caso. Quienes son homosexuales merecen compasión, y deben ofrecer a Dios el sacrificio que les ocasionan las dificultades que sufren a causa de su inclinación. Con la oración y los sacramentos pueden ir llegando poco a poco a la santidad (2359).

- 4 -

¿QUIERE SER FELIZ?

DOMINE SUS PASIONES

El célebre poeta Racine, que en sus dramas siempre hace aparecer a los personajes guiados por sus pasiones, escribió: -*"Dios mío: qué guerra siento en mí. Son como dos personas: una quiere ser buena, y otra lleva al pecado"*. Leyó esto el rey Luis XIV y dijo: "Yo también reconozco siempre en mí esas dos personas".

Cualquiera que mire a su interior advierte un hecho humillante y doloroso: la razón y la voluntad quieren el bien, pero la concupiscencia y las malas inclinaciones arrastran hacia el mal. No hay persona tan dueña de sus inclinaciones que logre no tener qué luchar a brazo partido contra sus antojos desordenados, ni ruborizarse y avergonzarse jamás por su debilidad en reprimirlos.

Peligros de las pasiones

Un viento demasiado fuerte puede estrellar la nave contra las rocas. Un caballo sin frenos derriba al jinete. Un auto sin dirección trae accidentes. Así sucede con las pasiones: si no se están frenando y controlando, llevan al desastre.

Cuando las imágenes despiertan en el cerebro fuertes sentimientos a causa de los objetos sensibles que atraen, conmueven la región impresionable, activan la circulación de la sangre, y aparecen en el exterior los síntomas o señales de la pasión. El rostro se vuelve sonriente (si la pasión es la alegría) y la palabra se vuelve amable (si la pasión es el amor) o todo lo contrario (si la pasión es la cólera o la tristeza). *Ninguna pasión se levanta en el alma sin que se manifieste ostensiblemente en alguna parte del cuerpo.* Por eso sus efectos son tan funestos cuando se las deja obrar desencadenadas sin freno.

Si la voluntad no domina las pasiones (por ej., la cólera, la envidia, la impureza, la gula, el orgullo, la tristeza etc.), se vuelven tiránicas y la voluntad se convierte en su esclava. Los impulsos de la cólera y de la sensualidad son tan repentinos, que muchas veces se anticipan a toda resolución voluntaria y se obra antes de pensar, lo cual trae terribles imprudencias que dejan en el alma remordimiento, vergüenza y tristeza.

Pero a la vez las pasiones tienen la ventaja de que traen más actividad a la vida. Sin ellas se apoderarían de nosotros la apatía y la insensibilidad. Por lo tanto las pasiones no son malas en sí mismas, pero lo que es necesario es dominarlas, guiarlas y estar listo a no dejar que traspasen los límites debidos.

Lo que despierta y excita las pasiones

1. La vista. No hay cosa que más aparte de lo espiritual y más lleve a la sensualidad que fijar la vista en los seres que nos atraen. Al presentarse el objeto con aspecto deslumbrador, enciende el fuego de la concupiscencia.

Aristóteles decía: "nada llega al entendimiento sin que haya pasado antes por los sentidos". Si el objeto es conmovedor, la emoción es intensa, y el alma siente con viveza la atracción (si la pasión es el amor) o la repulsión (si la pasión es la ira o el rencor). Y eso se siente de manera intensiva. Enseguida la imaginación reproduce ante el entendimiento la imagen de ese objeto, pero no ya fría e incolora, sino con el aspecto de una gran atracción (o repulsión) y este sentimiento trata de convertir el alma de reina en esclava, esclava de sus pasiones e inclinaciones.

2. *El tacto.* Santo Tomás dice que este sentido es el que más enfermo quedó con el pecado original. Darle gustos a este sentido es lo primero que se proponen la sensualidad y la impureza. San Alfonso recomienda evitar los excesos respecto al sentido del tacto, pues son los que más debilitan la virtud de la castidad. Cuando al tacto se le concede toda libertad, llegan los pecados de la carne, irremediablemente.

La presencia de un objeto deleitable produce en el tacto una excitación y provocación. Sentimos una inclinación irresistible hacia el objeto que atrae. Lo que se presenta con apariencia de atractivo y agradable, atrae con enorme fuerza. Por eso los antiguos recomendaban: "entre santa y santo, pared de calicanto". Y también entre santo y santo... Las demasiadas cercanías encienden pasiones dormidas.

Platón dice que el amor sensual es un furor que sale del cuerpo, un atractivo que actúa desde fuera. Una relación sólo epidérmica, sólo de la piel, no es amor, sino sensualidad, y algo que nunca logra saciar la sed de felicidad que tiene el ser humano.

Enamorarse es sentirse encantado por algo. Y la zona de enamoramiento es siempre una zona peligrosa, porque quien se enamora siente una inclinación irremediable hacia el acercamiento al ser amado; la persona ajena ejerce como un encantamiento que atrae con fuerza irresistible, y la voluntad queda incontrolada y puede llevar a pecados del tacto. Por esto hay que estar alerta y evitar demasiadas cercanías, si se quiere evitar peligrosas caídas.

3. ***Los sentimientos.*** Quien desea controlar sus pasiones tiene que vigilar cuidadosamente sus sentimientos, porque éstos tienden a extralimitarse. La inclinación, sobreexcitada por el objeto atrayente, produce intensas emociones orgánicas. Cada objeto atrayente es capaz de producir excitación (Ojalá sea Dios el que nos atraiga siempre y sea el pecado el que nos repulse y disguste).

No podemos olvidar que desde el nacimiento tenemos como triste herencia, terribles inclinaciones. ¿Qué hacer en momentos en que los sentimientos están demasiado excitados?

Recordar que la calma da una fuerza inmensa. Guardar silencio si estamos encolerizados. No hacer nada si estamos atraídos. Apartar los ojos del objeto que nos atrae o nos repulsa. Alejarnos de él. *Los términos medios no sirven para nada.* Recordar que si no se eleva el amor por encima de lo corporal, se convierte en sólo pasión. Que se puede amar a la otra persona sin estarse fijando solamente en el estuche que la cubre. Se puede amar a su alma, y no quedarse solo en el cuerpo, y esto sí es verdadero amor. Eso es amar por encima de la animalidad. No se puede reducir el amor al acercamiento físico. Si se fija mucho la atención en la otra persona se excitan los sentimientos. La cercanía constante del otro ser encienda la sensibilidad.

La atracción es una llamada sorda y ciega. Es una borrachera afectiva. Es lo más parecido que existe a la embriaguez. Quien se deja llevar por los sentimientos de enamoramiento (o los contrarios, de odio y antipatía) parece que estuviera padeciendo de locura, y su actuación resulta ridícula para los que le observan. No le importa el espectáculo que está dando a los demás. *Y éste dejarse llevar de sus sentimientos puede ser el prólogo para una gran tragedia.* Le lleva a obsesionarse por el objeto que le produce deseo y tiene síntomas de infantilismo; diviniza el objeto amado. Y si los sentimientos de enamoramiento (o de antipatías) se vuelven crónicos, estamos perdidos.

4o. La imaginación. Es la facultad que nos permite representarnos los objetos en forma sensible, como si los estuviéramos viendo allí cerca, aunque en realidad estén lejanos. Si la dejamos sin dominarla, se convierte en poderoso obstáculo para la santificación y una aliada peligrosísima de las pasiones, porque ella no se limita a reproducir las impresiones recibidas, sino que las amplifica, las colorea, les da vigor y brillantez. Así por ej., el planear dedicarse al amor sexual, o a vengarse, o a cometer otras fechorías, todo esto en la imaginación aparece esplendoroso, brillantísimo, supremamente satisfactorio, pero la realidad será después muy decepcionante quizás (o sin quizás). Por eso es que a la imaginación es necesario refrenarla, y esto es más urgente en quienes tienen temperamento sensible y nervioso, porque en esta clase de temperamentos ejerce mayor influencia la imaginación.

Por medio de la imaginación, las pasiones fascinan la razón a base de vestir de mágicos colores el objeto que atrae (o de revestir de horror el objeto que no gusta). Por eso somos tan injustos y exagerados muchas veces en los juicios en favor de lo que nos gusta o en contra de lo que nos desagrada.

Lo que llega por los sentidos a la imaginación la conmueve más profundamente. San Francisco de Sales la llamaba "la loca de casa". Como una prisionera fugitiva, la imaginación se escapa a cada momento sin permiso, y cuando menos lo advertimos ya le ha dado la vuelta al mundo. Ni siquiera nos deja rezar un Padrenuestro sin distraernos. Nos infunde temores inmotivados; nos aterroriza con enfermedades imaginarias; nos hace juzgar erróneamente los actos del prójimo y aleja la atención del objeto que nos conviene. El que seamos capaces de dominarla, escapa de nuestro poder. Solo una gracia, una ayuda especial de Dios, logrará tenerla a raya. Hay que acostumbrarla a representar objetos piadosos y santos como por ej. las escenas del evangelio, en vez de esas otras representaciones que ella acostumbra traernos y que pueden hacernos daño.

Es necesario apartar la imaginación de lo que pueda alejarnos de Dios o llevarnos al pecado. Y para ello hay qué luchar contra la curiosidad, porque si se vive leyendo periódicos y revistas y novelas, se alimenta la imaginación con lo que no le conviene. Y si somos amigos de andar oyendo chismografías y habladurías vanas, y cultivando la curiosidad, entonces ya el tratar de que la imaginación nos deje tranquilos es edificar sobre arena.

5o. Los Deseos. Cuando se aceptan deseos indebidos llegan mil ansiedades, desilusiones, decepciones y amargos desengaños. *"El mal deseo es un puñal revestido de miel"*, decía Buda. Triste cosa es que alguien que en un tiempo se propuso conseguir la perfección y la santidad, vuelva al mundo y a sus maldades, por medio de sus malos deseos.

San Juan de la Cruz decía: *"Muchas personas parecen de fuego para amar las creaturas y de hielo para amar a Dios"*. Sus deseos declaran lo que cada persona es en su interior.

6o. El placer. Es el deleite en el bien conseguido. Ningún movimiento es tan terrible como el placer. Es la pasión de la cual más debemos desconfiar. Es lo más difícil de dominar y a la vez lo que más debemos combatir. Cada persona es arrastrada por su placer favorito.

Diferencia entre alegría y placer

La alegría es propia de los goces espirituales, y el placer es propio de los gozos sensuales. Placer es gozarse de la posesión de un bien. Cuando el gozo se siente en el espíritu, se llama alegría. Cuando se siente en los sentidos, se llama placer. Si el placer llega a causa de algo que es pecado, la persona no siente felicidad completa, porque para ser feliz es necesario que no sólo goce el cuerpo, sino que goce también el espíritu. Y lo que es pecado no hace gozar al alma, sino que la atormenta.

Peligros del placer. Cuando se fija intensamente la atención en un objeto que atrae, se pierde energía para dedicarse a otros seres o acciones, y acaba uno por desentenderse de los demás. Con razón decía el poeta: *"Piensan los enamorados -y en esto no piensan bien- que todos los que los ven -tienen los ojos cerrados".* Si el placer que nos atrae es muy fuerte, emboba nuestra atención y debilita la voluntad, falsea las apreciaciones de la prudencia y el alma queda como encadenada hacia el objeto que atrae, y se produce conmoción pasional.

El objeto que produce placer llega a estar siempre presente en la imaginación, y violentas conmociones orgánicas perturban el ejercicio de la inteligencia. Son muchísimas las personas que sienten una avidez tal de placeres corporales que desprecian los bienes superiores y la paz del espíritu, con tal de gozar de estas satisfacciones. Y es un error fatal dedicarse más a placeres corporales que a gozos espirituales. San Agustín, que vivió estas dañosas experiencias, decía después: "el gozo que siento ahora al arrepentirme de los males que hice, es muy superior y me proporciona mayor felicidad que la que me consiguieron los placeres que disfruté".

El creyente debe preferir cualquier mal antes que aceptar un placer que sea pecado. Los placeres sensuales son venenos para el alma. Es necesario poner freno a la concupiscencia porque en vez de felicidad nos puede traer desdichas, y muy grandes. Por eso los antiguos repetían esta amarga definición: *"Pecar es reír un sólo instante, para llorar después toda una vida".* O como

PARA
TRIUNFAR
ES NECESARIO
CREER
QUE PODEMOS
TRIUNFAR

decía Fray Luis de Granada: “Pecar es gozar por poco tiempo, para penar después por largos años”.

La prudencia nos pide refrenar las pasiones para evitar que tomen excesivo crecimiento y luego nos esclavicen y dominen tiránicamente nuestro cuerpo.

Hay qué evitar la ilusión. (Se llama ilusión el imaginarse que algo es una realidad, cuando en verdad no lo es). La pasión, el placer sensual, se presenta como un bien, y muy atractivo, cuando en realidad no es un bien sino un mal. Aristóteles decía que *el que peca es un engañado*. Se dejó engañar por una ilusión. La caída llega porque el objeto seduce, porque la pasión presenta el objeto bajo el prisma engañoso que lo hace aparecer como digno de ser amado, cuando la verdad es todo lo contrario. Es necesario reflexionar y pensar seriamente que ese objeto que tanto atrae y fascina no tiene en realidad el valor que le estamos dando y en cambio sí nos puede traer muchos males si nos dejamos seducir por su atracción.

No hay que hipotecar el futuro por acciones indebidas en el presente

Con lo malo que evitamos ahora, estamos preparando paz y alegrías y muchos bienes para el futuro.

Dios nunca dejará sin premios a quien sepa renunciar a placeres indebidos con tal de conservar su santísima amistad, y la paz del alma. Siempre es más feliz quien domina sus pasiones que quien se deja dominar por ellas.

- 5 -

¿QUIERE SER FELIZ?

EDUQUE SU AMOR, MODERE SUS IMPULSOS

Si la voluntad no domina las pasiones y no refrena la concupiscencia, se convierte en su esclava, en su juguete. Los impulsos de la sensualidad (como los de la cólera) son tan repentinos que muchas veces se anticipan a toda resolución voluntaria, y se obra antes de pensar y meditar.

Hay una virtud llamada "templanza" o "moderación", cuyo oficio es moderar el apetito sensitivo, refrenar la concupiscencia, para que no nos lleven a excesos dañinos.

Una sola victoria de un apasionado, sobre sí mismo, vale más que largos tiempos de paz de quienes no son apasionados. Pero las repetidas caídas convierten las inclinaciones sensuales en costumbres tiránicas.

Sin embargo, aunque seamos vencidos diez mil veces, no dejemos de luchar, y Dios terminará dándonos la victoria final. Que se pueda repetir de cada persona lo que dice el Libro de los Proverbios: *"El justo cae siete veces, pero se vuelve a levantar"*.

Recordemos que los impulsos de la pasión fascinan la razón a base de revestir de mágicos colores el objeto que nos atrae (o de horror el que nos disgusta). Los impulsos pasionales ofuscan el entendimiento y le impiden tener en cuenta los motivos que pudieran apartarle del mal. No le dejan ver por ej. que tal acto es vergonzoso, o que disgusta a Dios etc. Por eso hay que estar muy atentos para no dedicarse a obrar o a hablar cuando se está bajo los impulsos de una pasión.

Los impulsos pasionales hacen ver el mal bajo el letrero de "permitido". Pero cuando esos impulsos se apagan, entonces sí vemos la verdad y nos entristecemos de haber obrado o hablado movidos por la pasión. Los impulsos de las pasiones enceguecen y no permiten reflexionar, y el entendimiento se nubla de tal manera que el objeto que atrae sensualmente no deja libertad para encaminarse hacia otras actuaciones. Con razón les decía el profeta Daniel a unos jueces corrompidos y corruptores. *"Su equivocación consistió en dejarse seducir por la belleza"*, porque una vez seducidos, ya la voluntad quedó impotente para resistir.

EL AMOR es uno de los más grandes educadores de la humanidad. Su misión es domar la gente, mitigar las asperezas, pacificar las hostilidades. El amor es el gran lazo para mantener la sociabilidad. Su más grande enemigo es el egoísmo.

La enfermedad del amor es la erotización **(convertirlo en pasión sensual).** Ahora la sociedad ha liberalizado el erotismo de los frenos sociales que lo detenían y ha surgido el mito del erotismo (o amor de solo pasión). Estamos ahogándonos en una ola de impudicismo o falta de pudor y de vergüenza. El cine, y la TV y las publicaciones han producido una auténtica explosión erótica. Se está propagando una intoxicación sensual de las personas.

Por haber roto los diques que la contenían, una ola erótica nos ha invadido. La pornografía es un desahogo de la "lujuria cerebral" y fomenta un paroxismo sensual (paroxismo es un acceso violento de una enfermedad). Están proclamando una bienaventuranza erótica. Ha llegado la erotomanía, la manía por lo erótico. Y esto no ha contribuido al aumento de la felicidad, sino a la propagación de la esclavitud sensual. Ahora hay una turba de "sexoadictos" y está aumentando peligrosamente el número de anormales sexuales. Antes había heterosexuales y homosexuales. Ahora hay bisexuales, que pecan con ambos sexos. El colmo de la degradación!

LA UNICA
EMPRESA
DEFINITIVAMENTE
FRACASADA
ES LA
QUE NO
SE INTENTA

Es necesario convencerse de que amar es mucho más que eso que se llama erotismo. Porque sinó tendremos qué repetir con Lope de Vega: *"Cierta clase de amor solo trae desengaño. Quien ya lo ha probado lo sabe "desde antaño".*

Muchas veces creemos que hemos encontrado el amor, cuando lo que hemos encontrado es sólo una caricatura de él. Ojalá que nuestra vida fuera un continuo progresar en el amor hasta lograr irlo haciendo cada día menos carnal y más espiritual, y elevado. Porque el verdadero amor es elevado y no egoísta. *Cada cual es tanto más persona cuanto más vive para las demás personas.* No basta tratar con el otro, hablar con el otro, sino que hay que hacer algo bueno por el otro. Amar es darse en favor de los demás. Y el más sublime amor es aquel que ve en la otra persona al mismo Cristo y la trata como si fuera el propio Redentor, porque en realidad sí lo está representando, ya que Jesús afirmó: *"Todo el bien que le han hecho a uno de esos mis hermanos, aunque sea el más humilde, a Mí me lo han hecho"* (Mat. 25,40). El verdadero amor es vivir para el otro, para los otros.

Pero que el amor no sea solamente un producto de las hormonas, sino un regalo espiritual que se recibe de Dios porque se le ha pedido mucho a El. Que cada amor digno y noble sea fruto del sacrificio que hemos hecho de muchos amores indebidos. La verdadera fuente de amor es Dios, inmensa hoguera de amor y de felicidad (Lafonte).

No son los amores sin más, los que llenan de felicidad, sino el amor verdadero que busca más el bien de los demás que la satisfacción del propio egoísmo. El verdadero amor es el que hace consistir la propia felicidad en hacer que otros sean felices. El amor es un desafío constante a hacer algo bueno en favor de los demás. Quien verdaderamente ama tiene que sentirse cada día en el deber *de hacer algo más* en favor de los que ama.

Amor es la inclinación de un Yo hacia un Tú. Pero sería una lástima que esa inclinación fuera únicamente sensual o erotismo. El eros es una incitación del deseo hacia la belleza, y puede convertirse el amor en sólo sexo o sensualidad. El eros es un deseo sin fin. Platón dice que el eros es un furor que sale del cuerpo, un atractivo que actúa desde fuera. Es una especie de locura. La prudencia consiste en convertir ese amor de simple instinto que es el eros, en un amor que el idioma antiguo llamaba "ágape", un amar porque se desea hacer el mayor bien a los otros, porque se siente la inclinación y el deseo de ayudarles y serles útil y contribuir a su progreso, felicidad y santidad. Ese sí es el verdadero amor.

Lo erótico viene del deseo, del solo instinto, y no lleva a la plenitud del amor. Es un ansia que nunca se logra saciar. *Si el amor no se eleva más allá de lo corporal se queda solamente en pasión.* Tanto más sublime es el amor cuanto más logra prescindir de lo corporal. Si en el trato corporal no hay amor espiritual, aquello es únicamente relación epidérmica y superficial que se queda solo en el plano de lo material, que es muy poco.

Dos cuerpos que se atraen, eso no es amor, sino pasión. Dos almas que se atraen, eso sí es amor. Existe muchísimo más amor en dos almas que nacieron para amarse, para comprenderse, para ayudarse, que en dos cuerpos que sienten emociones orgánicas, inclinación sobreexcitada. Puede amarse con toda el alma a una persona *sin fijarse en el estuche que la cubre,* amando más allá del cuerpo, amando más allá de la animalidad. No se puede reducir el amor el acercamiento físico, porque la pasión arrastra a los actos, lleva al desorden moral y ahoga los remordimientos de la conciencia.

Cuidado con los enamoramientos

Hay que esmerarse por convertir lo que es un *simple cariño*, en algo que se pueda llamar en verdad *amor del alma. La atracción es una llamada sorda y ciega,* es una borrachera afectiva, se parece a la embriaguez. La persona que está enamorada parece que no le interesa ya nada lo que los demás puedan pensar y la figura ridícula que está haciendo ante los demás.

El otro ejemplar humano le produce una atracción erótica y muy influyente. Entonces sólo le interesa dedicarse a amarle y todo lo demás ya no le interesa (por eso los antiguos decían que así como la pasión de la cólera quita y aleja el amor, así también la pasión del amor quita y aleja la vergüenza y el temor a perder la buena fama). Pero esto puede ser el prólogo de una tragedia! Ciertos enamoramientos llegan a ser aniquiladores, desoladores. Llevan a obsesionarse por un deseo. Tienen síntomas de animalismo. Divinizan el objeto amado. Y se cumple en ellos lo que tanto temía San Agustín: "Son un alejarse de Dios por apegarse demasiado a una creatura". Y esto no trae felicidad, sino infelicidad.

Se enamora uno, como se adquiere una enfermedad. Hay personas enamoradizas, muy propensas a enamorarse de cualquier ejemplar humano que les atraiga. Entonces se alucina la mente (Alucinar es cautivar y atraer por medio de sensaciones que no corresponden a la realidad). Se idealiza la persona de la cual se ha enamorado; se le sublima, se le transfigura en algo muy superior a lo que es en realidad. Se le convierte en *fauna emocional,* en objeto sensible que ocasiona y produce emociones sensibles.

Bajo el dominio de ciertos enamoramientos la persona es menos y no más. Este ès un estado de miseria mental en que nuestra conciencia se empobrece y paraliza. No es un enriquecimiento de la mente sino un miserable empobrecimiento. La conciencia se angustia y queda muy disminuida. Es una especie de imbecilidad transitoria, un mecanismo loco dispuesto a dispararse sin control, ciegamente. Si estos enamoramientos se vuelven crónicos, estamos perdidos. Y cuántos de nosotros podemos exclamar al repasar el anterior retrato tétrico de ciertos enamoramientos irracionales: *"ese es el espejo donde aparece lo que han sido ciertas épocas de mi vida"*. Y no nos queda sino repetir con el profeta David: "Misericordia Señor por tu bondad. Oh Dios crea en mí un espíritu puro. Fortaléceme por dentro con espíritu firme, y no alejes de mí tu Santo Espíritu" (Salmo 51).

Enamorarse es sentirse encantado por algo. Y esta zona frenética es sumamente peligrosa. Quien se enamora siente la inclinación de entregarse irremediablemente a querer a la persona que ama. Es un encantamiento que lleva a dedicarse al otro ser. Los afectos del corazón quedan como absorbidos y atraídos e incontrolablemente dirigidos hacia el ser amado. La otra persona nos encanta y nos atrae. El enamoramiento es un arrebato erótico, sensible. Quien se enamora sufre una obsesión (o sea una esclavitud hacia una idea fija que disminuye la libertad de quien la tiene). Es una imposición desde el exterior, desde otra persona. Hay gentes tan imprudentes que viven en continuos enamoramientos. Y esto las animaliza.

Para enamorarse de un objeto es necesario fijarse en él, concentrar la atención sobre él. La presencia constante y cercana a la otra persona puede hacer fermentar y crecer el enamoramiento hacia quien se tiene frecuentemente delante de los ojos. El fijar la atención en lo que en ese ser inspira admiración, enciende la sensibilidad y el amor sensible. *El corazón es una máquina de preferir.* En la elección de lo que amamos, se demuestra lo que en verdad somos. "Si amas lo sublime y lo sobrenatural y divino, te diré que eres sublime. Pero si amas sólo lo que es sensible y material, ¿qué quieres que te diga? Que eres solo barro y miseria (San Agustín).

Amor de enamoramiento es pedir a otra persona la felicidad que nos falta (y qué poquita felicidad conseguimos a veces!).

Para muchos y muchas el amor es bárbaro erotismo, fácil jugueteo lleno de sensualismo, voluptuosidad barata, un juego peligroso y excitante que en vez de producir verdadera felicidad, deja en el alma un amargo sabor o remordimiento.

Hay un paso definitivo en la vida: el paso del Yo al nosotros. Quien se encierra en el Yo, se cierra al Tú y hasta al Absoluto, que es Dios.

Cuando alguien dice «Yo», nos dispara su autobiografía. Cuando le decimos "tu" le disparamos la biografía que de él nos hemos hecho.

El verdadero amor no permite quedarse sin actuar en favor del ser amado.

LAS DIVERSAS PASIONES. Volvamos a insistir un poco en este tema. La pasión llamada Amor es un movimiento de complacencia hacia un bien que agrada a los sentidos. Si todavía ese bien no se posee, se tiene entonces la pasión del *Deseo.*

El amor empieza por complacerse ante la vista de un bien que le agrada. Con el deseo tiende hacia ese fin.

Después del pecado original las pasiones viven amotinadas y en continua rebeldía. Parecen un caballo sin freno que procura lanzar al suelo a su jinete.

La pasión del amor es una alteración, una emoción, una inclinación habitual que se produce ante la presencia de un objeto deleitable.

Si el bien es difícil de alcanzar, la pasión es *Esperanza*. Si es imposible de conseguir, llega la pasión de la *Desesperación*. (Lo contrario del amor y de la esperanza es la pasión de la *Cólera* y la de *Tristeza* ante la presencia de un mal que produce aversión y antipatía).

Conclusión de alguien que ha sido víctima de las pasiones.

Mi existencia es un conjunto de flaquezas que deploro y de las cuales no consigo enmendarme. Pero no puedo tranquilizarme de ninguna manera dejando de luchar.

Sé que por mucho que me esfuerzo no lograré nunca suprimir del todo el pecado en mi vida, pero sí puedo disminuirlo.

En el momento mismo de creerme libre del peligro puedo dar las más vergonzosas pruebas de debilidad y fragilidad.

Dios mantiene abiertas muchas de mis heridas porque ve que una salud perfecta en mi alma, resultaría para mí una tentación de orgullo, por eso a pesar de mis súplicas tan repetidas, me deja sometido a debilidades y flaquezas.

Somos tan propensos a presumir de nuestro propio mérito personal!. Pero el edificio de nuestra santidad resulta un simple castillo de naipes, que se caerá al primer soplo de la tentación

Por eso Dios nos procura ocasiones de practicar la humildad y la desconfianza en nosotros mismos.

Por estas razones no ha querido librarnos de ciertas miserias de las cuales tenemos sincero arrepentimiento y que acusamos en todas nuestras confesiones.

A cada tentativa por librarme de mi mala costumbre, me parece más insoportable el peso de mi cadena. Mi alma está enferma pero desea sinceramente su sanación. Mientras que el alma no se dé por vencida y quiera seguir luchando, la bondad de Dios estará lista a ayudarle. Si huyo de las ocasiones, si lucho contra mis malas costumbres, si rezo cada día pidiendo ayuda al buen Dios, si creo en que Cristo ha muerto por mí y está rezando en favor mío ante el Padre Celestial, y que el Espíritu Santo me quiere dar fuerza y valor y que la Virgen María es mi amparo y protección, llegaré un día a la victoria final. **Dios y yo: mayoría aplastante.**

VALE LA PENA
VIVIR SIN
PLACER,
PARA TENER
EL PLACER
DE MORIR
SIN PENA.

SATANAS SE JUEGA UN ALMA

Satanás le ha robado al joven una estatuilla blanca. Es que le ha quitado la paz del alma. Le ha quitado también otras tre imágenes, que representan a la oración frecuente, la lectura de libros espirituales y los sacramentos. Con estas tres pérdidas el joven ha quedado muy desprotegido y muy sin defensas.

Afortunadamente el joven le ha logrado quitar al diablo un pavo negro, el orgullo, y otro moostruo pequeñito: el desprecio a los demás. Ahora es menos orgulloso y desprecia menos a los otros, y eso le hará evitar muchos pecados.

El Joven agarra fuertemente una estatua de rey. Si confía en Jesucristo, Rey del Universo, logrará vencer.

Entre las fichas negras que atacan hay: una mujer desvergonzada, un encapotado mirando hacia abajo, es la duda. Un gallo con larga cola: el deseo de aparecer.

Entre las fichas blancas que lo defienden estan los ángeles que Dios envía a proteger a los que rezan con fe. Y está la virtud de la esperanza, mostrando hacia el cielo, recordando los premios que conseguirá quien luche contra las tentaciones.

¿Quién ganará? La victoria será de los que tengan fe en Jesucristo, nuestro Salvador, y de quienes prefieran morir antes que pecar.

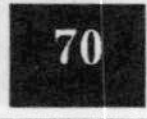

- 6 -

¿QUIERE SER FELIZ?

LUCHE CONTRA EL PECADO

Un gran pensador decía: *"El impulso de un momento se puede convertir en la desdicha de toda una vida".* Esto lo han comprobado ya muchas personas, y ojalá no tuvieran qué experimentarlo los demás.

El tormento de Némesis. Los antiguos decían que cuando alguien comete un pecado, se viene desde la eternidad un terrible enemigo llamado "Némesis" (palabra que significa: recuerdo, recuerdo amargo, remordimiento") y empieza a perseguirle de día y de noche y a atormentarle con el recuerdo triste del pecado cometido. Es el cumplimiento de lo que dice el salmo 75: *"Dios tiene en sus manos una copa de amargura y la hace beber hasta la última gota a quienes cometen maldades".*

Analizar las raíces. San Agustín exclama: "Muchos se preocupan únicamente porque el árbol de su vida tiene las ramas podridas y llenas de pecados. Pero lo que más les debería interesar sería estudiar cómo están las raíces de ese árbol, porque de allí depende la podredumbre de sus ramas y de sus frutos". Lo mismo repite con distintas palabras el bellísimo libro Imitación de Cristo al afirmar: "Quien se asusta al ver las malas obras que hace, que averigüe primero cómo son sus sentimientos, pensamientos y deseos. Porque por tener tan malos sentimientos, por eso es que nuestras obras resultan tan pecaminosas".

UN DESASTRE COMPLETO

El ilustre escritor Ortaney describe así las consecuencias del pecado: *"El pecado es como una granada explosiva.* Estalla tan rápidamente que casi sin darnos cuenta destroza nuestra vida y la de otros y las deja totalmente manchadas, y luego ya nada, ni charlas, ni excusas, ni favores logrará reparar el daño que hemos hecho a los demás con nuestros pecados. *El pecado es como un techo que cae de improviso.* Se empieza por ej. con caricias y besuqueos, o con insultos y se despiertan y excitan las pasiones y se desatan las emociones, estalla el gusto por lo sensual o el odio y la antipatía, y todo esto lleva irremediablemente al pecado, el cual cae sobre nosotros como un techo que cae y nos aplasta. En el momento puede ser que nos parezca bello y agradable, pero luego nos damos cuenta de que nos hemos hundido en el más asqueroso charco de inmundicia y pecaminosidad, y nos llega *el complejo de culpa* que es un castigo muy largo y duradero, *tan doloroso como una cuchillada* o una herida que no quiere sanar. El pecado trae penas interiores y castigos exteriores. Entonces, para qué cometerlo?

Dedicarse al pecado es estacionarse en las puertas del infierno. Cuando la emoción se calma y el placer desaparece, vemos con horror la suciedad que nos rodea y el abismo de maldad a donde hemos caído.

Aceptar el pecado es un modo de obrar, aceptable sólo en un sitio: en las puertas del infierno. Es permitir que los enemigos del alma jueguen contra nosotros y nos destrocen.

Que la alarma de la conciencia suene y nos despierte a tiempo, porque de la infelicidad que trae la culpa no podremos librarnos ya, una vez que hayamos cometido la falta. Cuando alguien está a punto de descontrolarse y de perjudicar a otros, que suene la alarma de la conciencia y no le deje rendirse a la sensualidad, a la cólera o a la avaricia. Mejor es prevenir que curar.

Si nos dejamos llevar por los deseos sensuales, por la cólera o la avaricia, llegaremos a aberraciones o conductas muy equivocadas, y nos hallaremos haciendo o diciendo cosas que jamás habríamos pensado que íbamos a hacer o decir.

Hay un pecado especialmente grave, y es el ESCANDALO, que consiste en hacer, decir u omitir algo que resulta para los otros una ocasión de ruina espiritual o los lleva a cometer pecados. Esto es supremamente dañoso, especialmente para personas síquicamente débiles. Por ej. las modas indecentes, el vestir inmodesto, el prestar o presentar fotografías pornográficas o

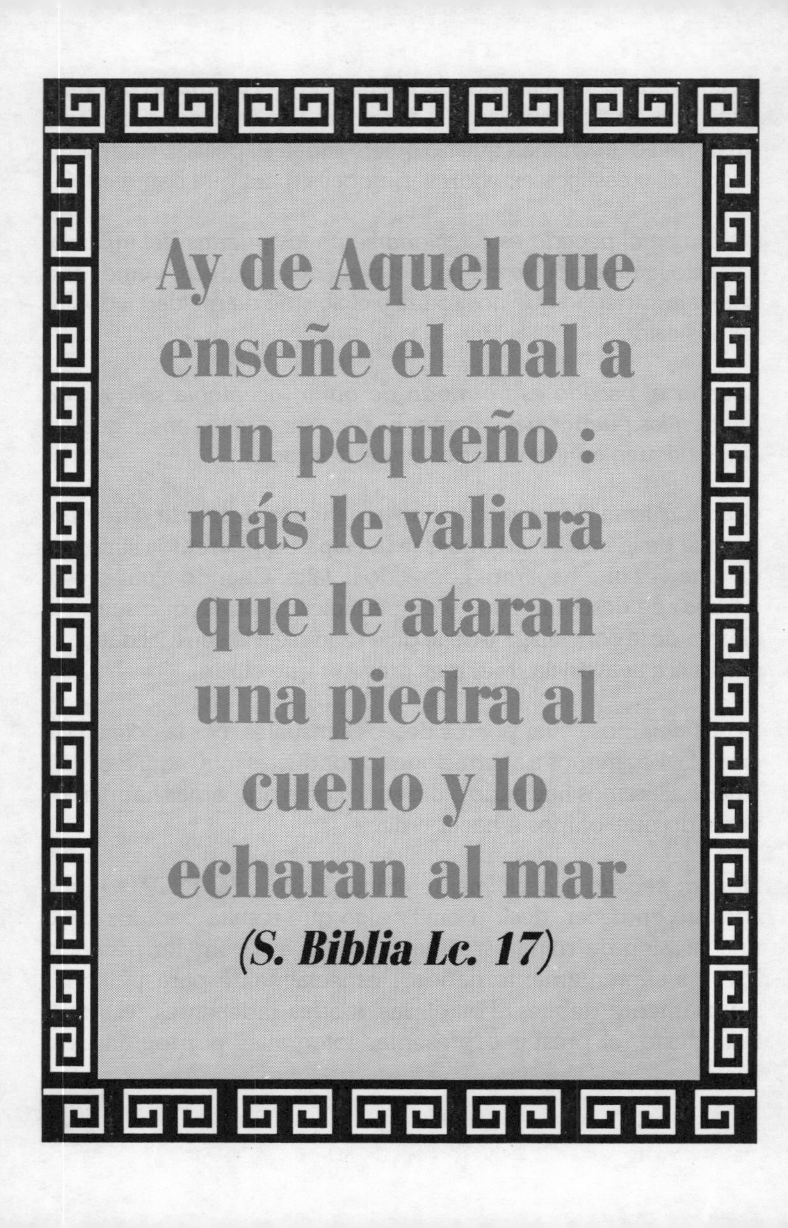
Ay de Aquel que enseñe el mal a un pequeño : más le valiera que le ataran una piedra al cuello y lo echaran al mar
(S. Biblia Lc. 17)

revistas indecentes, el enseñar a robar o el aconsejar masturbarse, o el hacer cualquier acción que incite a otros a cometer pecados.

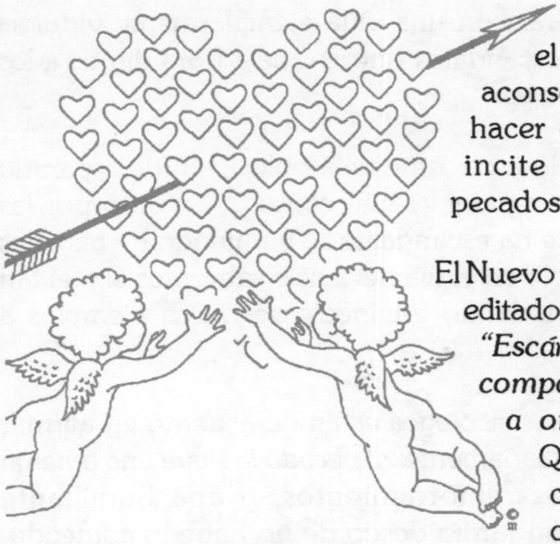

El Nuevo Catecismo de la Iglesia, editado por Juan Pablo II, dice: *"Escándalo es la actitud o el comportamiento que induce a otro a hacer el mal.* Quien escandaliza se convierte en causa de que otros pequen. Es una falta grave si arrastra a otros a cometer faltas graves. Y su gravedad aumenta si el escándalo lo produce persona que tiene autoridad, y *es mucho peor si es causado por quienes están obligados a enseñar y a educar a los demás.* Jesús compara estas personas a lobos disfrazados de corderos, que van matando almas, con su mal ejemplo (2284-85).

Cristo dijo una frase tremenda (que suena más terrible aun si se piensa que la pronunciaron los labios más misericordiosos y amables del mundo). Es la siguiente: *"Ay del que escandalice a uno de estos pequeños que creen en Mí. Mas le valiera que le colgaran al cuello una gran piedra y lo echaran al fondo del mar"* (Mat. 18,6) Y añade: "Escándalos siempre los habrá, pero desdichado de quien los produzca". Ojalá no seamos nunca de ese número de "desdichados" que se atraen el castigo de la ira divina por llevar a otros a pecar, a causa de los malos ejemplos dados. Y si ya lo hemos hecho (desafortunadamente) entonces dediquemonos a reparar con una vida ejemplarmente virtuosa los malos ejemplos y escándalos que en mala hora dimos a los demás. Todavía es tiempo.

Quien ha escandalizado a otros tiene la obligación de repararlo con ejemplos buenos; reparar el mal causado rezando por las personas a las cuales se ha escandalizado y tratando de hacerles favores espirituales. Sólo en el día del Juicio sabremos el mal tan espantoso que hicimos dando escándalos o malos ejemplos a otros.

Amarga experiencia. Los sicólogos están de acuerdo en afirmar un hecho que se repite diariamente: *al pecado lo sigue una amarga decepción,* punzantes remordimientos, y una humillante vergüenza, junto con un tardío deseo de no haberlo cometido. ¿Para qué exponerse entonces a tan antipática colección de males? San Juan de Avila repetía a la gente: "*Tenga cuidado cada uno para no ir a perder en la vejez lo que ganó en la juventud.* Mientras la nave de nuestra alma no haya llegado al puerto de la eternidad, ninguno de nosotros puede estar seguro de que no se va a hundir y de que no naufragará".

Con razón repetía Nuestro Señor: "*Estén alerta y recen, para no caer en tentación, porque el espíritu está pronto, pero la carne es débil*" (Mat. 26,41). Esto lo comprobamos todos continuamente. Y con más frecuencia de la que sería de desear.

Mientras un combatiente está en la batalla, lo más natural es que reciba heridas. Por eso no nos extrañamos de ser tan débiles ante el pecado. Pero lo grave, gravísimo, sería dejar de combatirlo, o desanimarse y no tratar de levantarse y de empezar una vida mejor.

Un santo temor

El Profeta Isaías dice que uno de los dones o regalos que el Espíritu Santo concede a ciertas personas destinadas a más alta santidad es el *"Don de temor de ofender a Dios"*, el temor a disgustarlo. Y esto se puede conseguir mediante la meditación en los grandes males que el pecado trae a la persona y a la vida propia y a la de los demás. Por eso conviene volver a leer lo que se dijo en la página anterior, porque esto puede llevar a obtener un verdadero temor de ofender a Nuestro Señor, y con ello habremos dado un gran paso hacia la santidad y hacia la verdadera felicidad.

El pecado es algo que disgusta a Dios y por eso es necesario evitarlo, cueste lo que cueste. San Francisco repetía: "Si hemos abandonado el camino de la virtud pecando, volvamos a ese camino esforzándonos por comportarnos mejor".

¿Quién es el que conoce la maldad del pecado?

La verdadera maldad y fealdad del pecado no la conoce realmente sino quien logra librarse de él. Se conoce la verdadera oscuridad del calabozo cuando se sale de él a la luz del sol. Por eso el que verdaderamente conoce la fealdad y asquerosidad del pecado no es el que vive en él, sino el que logra librarse de él. Sólo cuando Jesucristo le concede a una persona una luz especial, logra reconocer la magnitud del inmenso error que estaba cometiendo al pecar. Por lo tanto quien pide mucho al Espíritu Santo el Don del entendimiento, llega a tener tal horror al pecado, que prefiere morir antes que pecar. Quien vive en paz con algún pecado es porque no se ha dado cuenta de la horrorosa fealdad de lo que está haciendo, diciendo o pensando. San Pablo, antes de convertirse, creía que persiguiendo a los cristianos no estaba haciendo nada gravemente malo, y lo que estaba haciendo era horrible. Solamente después de que Cristo le envió una luz a su espíritu se dio cuenta de la gravedad y fealdad de su antigua conducta. Y cambió por completo desde entonces.

Un regalo. El arrepentimiento por haber pecado y el odio y aborrecimiento hacia nuestras faltas no es algo que podemos fabricar nosotros mismos. Esto es necesario pedirlo a Dios porque es una gracia o regalo que el sólo puede conceder. ¿Cuántas veces pedimos a Dios que nos conceda un verdadero arrepentimiento de nuestras culpas y una aversión y antipatía a todo lo que pueda ofender a Nuestro Señor? ¿Cuántas? ¿O quizá ninguna? Sería una lástima no pedir con frecuencia un favor que necesitamos tanto!

Un buen acto de contrición. Cuando San Pedro cometió el mayor error de toda su vida, al negar tres veces a Jesucristo, el Divino Maestro al aparecérsele después ya resucitado le pidió que le declarara tres veces que sí lo amaba. *"Señor, tú sabes que te amo... Señor: Tú lo sabes todo, Tú sabes que te amo"*, le dijo Pedro, y el Redentor lo aceptó en su amistad. Y cuando una pecadora escandalosa le lavó los pies a Jesús con sus lágrimas y se los secó con sus cabellos, el Redentor afirmó: *"Se le perdona mucho, porque demuestra mucho amor"*. O sea que lo que Cristo acepta como acto de contrición para que obtengamos su perdón es demostrarle amor, mucho amor.

¿Cuántas veces le voy a decir: *"Señor Jesús. Tú sabes que te amo"* ¿Cuántas? Ojalá fueran tantas cuantas han sido las veces que lo he negado pecando. Sería maravilloso!

Cada pecador que se arrepiente atrae a Dios hacia sí como un imán. Ghandi decía: "El más poderoso aliado para combatir nuestras pasiones animales es pronunciar con amor el nombre de Dios". Para nosotros el pronunciar con amor el nombre de Jesús, puede tener más energía para destruir nuestros pecados, que una bomba atómica. Por eso los antiguos maestros rusos de espiritualidad aconsejaban repetir muchas veces *"Jesús, Jesús, yo te amo". "Jesús yo te amo, ten compasión de mí".* Aconsejaban decirlo siquiera 5 veces cada día.

Si nuestra sensibilidad y afectividad han sido dirigidas a dar escándalos, dirijámoslas ahora hacia la servicialidad, y a dar buenos ejemplos de amabilidad y caridad.

La trampa del pecado. Lo malo y peligroso del pecado es que es bonito y atractivo. La S. Biblia dice: *"Eva vio que el fruto prohibido era hermoso, agradable y atractivo"* (Génesis 3,6). Si el pecado fuera antipático y repugnante, quizá ya no lo cometeríamos. El diablo, como ya lo hizo con Eva, nos promete que seremos más felices si pecamos. Y después viene el desastre. La historia de nuestros pecados es la misma de Adán y Eva. El diablo nos hace creer que obedeciendo a Dios seremos menos felices, y que desobedeciéndole seremos más felices. Le desobedecemos y nos llega una cadena interminable de desgracias. Por eso aquella santa repetía tantas veces: *"Señor: que si algo te es desagradable a Tí, me sea también siempre desagradable a mí"*. Oración digna de ser dicha muchas veces. Porque desde el momento en que el pecado ya no nos agrade, dejaremos de cometerlo.

Es un cambio muy lento y difícil que yo solo no puedo conseguir

Hay un librito famoso que ha conseguido verdaderos milagros de conversión de personas que estaban sumergidas hasta el cuello en los vicios y pecados. Es *"El Manual de los Alcohólicos Anónimos"*. Recordemos algunas de las recomendaciones que hace tan impresionante libro, porque pueden ser de gran utilidad para liberarnos de cualquier pecado que quiera esclavizarnos.

"Tengo qué convencerme de que sólo un poder superior, el poder de Dios, podrá librarme del pecado. Yo por mi sola cuenta nunca lograré librarme de su esclavitud.

"Dios me concederá su poder y su ayuda como respuesta a mis oraciones, porque sabe que lo necesito para poder superar mi pecado"

"Dios mío concédeme una fe suficiente que logre obtener de Ti el poder que me hace falta para lograr superar esta tan dañosa costumbre de pecar".

"Es absolutamente indispensable conseguir como socio a quien tiene el Poder Supremo. Tengo qué acudir a El en busca de la fortaleza que necesito para poder evitar el pecado. *Poner en sus manos el problema de las propias malas inclinaciones.* Quitarme para siempre la ilusión de que con mis solas fuerzas voy a salir vencedor".

"La misericordia de Dios está aguardando mi súplica para venir en mi ayuda. Mi debilidad y mi peligro son maravillosas oportunidades para que Dios demuestre cuánto me ama y cuánto se interesa por ayudarme".

"Cuando me sienta incapaz de manejar la situación de peligro en que me encuentro es totalmente necesario que yo implore la ayude del Todopoderoso. Señor: que nunca me olvide de suplicarte tu oportuna ayuda, porque si en el momento del peligro y de la tentación no me acuerdo de hacer oración, mi derrota será desastrosa".

Todos los conocimientos de sicología y de fuerza de voluntad resultarán insuficientes en el momento de la tentación, si no imploro el auxilio de Dios. Sólo el Poder del Altísimo puede darme la fortaleza que necesito. Y mi cambio será un milagro. Un milagro moderno. Y a Dios le agrada hacer esos milagros. *Creo que el milagro de mi conversión lo puede hacer Dios y lo quiere hacer.* Señor: que yo crea y que no me canse jamás de pedirte tu ayuda.

Señor: llévame por el buen camino. No dejes que me vaya por caminos falsos. Tú que haces girar a los astros en su órbita, ¿no lograrás que yo viaje solamente por donde debo viajar?

Las declaraciones de una mujer muy especial

Santa Teresa dice en su autobiografía: "Yo caía y recaía muchas veces en las mismas faltas. Sentía un grandísimo arrepentimiento de haber ofendido a Dios, y al acordarme de los muchos favores que Dios me había hecho y de lo mal que yo le pagaba pecando, me enojaba en extremo y lloraba al ver mi poca enmienda, y al constatar que no bastaban mis buenos propósitos y resoluciones, porque *apenas me ponía en la ocasión, caía*. Me confesaba, pero el mal grande estaba en que no evitaba las ocasiones y en que mis confesores no me avisaban fuertemente que si no me apartaba de las ocasiones de pecar, seguiría pecando. Si una persona supiera la horroroso que es el pecado mortal y los males que trae, preferiría la muerte antes que exponerse a una ocasión de pecar. No nos contentemos hasta haber hecho todo lo posible por apartarnos de las ocasiones de pecar".

No puedo olvidar que el próximo pecado puede ser el último de mi vida

Si alguien se imagina que nunca será capaz de dejar el pecado, que ponga en su cerebro aquella frase de la S. Biblia: *"Todo lo puedo en Cristo que me fortalece"*.

SUPLICA DE UN PECADOR MUY RECAIDO

Por Michael Quoist

Otra vez he caído, Señor.
Y ya no puedo más. Será que no venceré nunca?
Me averguenzo de mí y no me atrevo ni a mirarte.
Ese pecado que yo he elegido,
como un cliente que elige su compra.
Ese pecado que ya no puedo devolver,
porque se ha ido el vendedor.
Ese pecado que quise y que ya no quiero.
Ese pecado que me ha apartado de tí, Señor,
arrastrándome, destrozando mi corazón.
Ese pecado que me atrapa y me posee,
como tela de araña a una mosca prisionera.
Tu me amabas Dios mio, y yo te he ofendido.
Pensé mucho más en mi cuerpo que en mi alma.
Fracasé por querer servir a dos señores a la vez.
Elegí mal y escogí al que menos me convenía.
Ya no me quedan fuerzas.
Ya no me atrevo a prometerte nada.
Solo me queda permanecer humilde ante Ti.

HABLA JESUS

Levanta tu cabeza. No será tu orgullo que te hiere?
Si me amas estarás arrepentido pero no desanimado.
Recuerda que mi amor no tiene limites.
Lo más grave no es caer sino permanecer caído.
Aun así,débil y miserable como eres,
No dejo de amarte un solo instante.
Confía en Mi y vencerás un día definitivamente.

- 7 -

¿QUIERE SER FELIZ?

ADQUIERA LA PACIENCIA

Un famoso sicólogo afirmaba: *Los grandes éxitos han sido frutos de largas paciencias".*

Y el popular educador Don Bosco, cuando alguien le dijo: "Los sufrimientos producen santidad y consiguen cielo", le corrigió diciendo: *"Lo que consigue santidad y cielo no son los sufrimientos, sino la paciencia* con la cual se los soporta y se le ofrecen a Dios".

Jesús, hablando de las espantosas luchas que llegarán al final de los tiempos, anunció esto a sus seguidores: *"Con su paciencia lograrán salvarse"* (Luc. 21,19).

San Pío Quinto, Santa Teresita y varios santos más, en medio de terribles dolores y enfermedades, repetían esta oración: *"Señor: ya que me envías el dolor, envíame también el valor* para poder soportarlo. Ya que me aumentan los

sufrimientos, auméntame también la paciencia". Y llegaron a grados altísimos de paciencia heroica.

"La paciencia es la virtud por la cual *ante la presencia de lo desagradable no nos dejamos vencer por la tristeza y el disgusto"*, dice Santo Tomás.

San Francisco les decía a sus discípulos que lo escuchaban con tanta atención: *"Cuánta es la paciencia que tiene una persona, se conoce cuando aparecen motivos de impacientarse"*. Algunas personas parecen modelos de paciencia y de buen humor, pero es porque no se les han presentado ocasiones de impacientarse y encolerizarse.

Por eso hay un dicho popular que afirma: *"Si Ud. Cree que ciertas personas no son explosivas, déjelas caer al suelo. Verá cómo explotan"*. Cada uno de nosotros tiene recuerdos muy amargos de explosiones de ira que hemos tenido cuando menos lo pensábamos. Es que nuestra paciencia mas que pequeñita es una pobre enana, y necesita crecer y robustecerse.

Para que la paciencia crezca es necesario que vengan contrariedades. Por eso San Francisco de Sales repetía: "Al final de la vida le daremos gracias a Dios por no habernos concedido tantas cosas que deseábamos. Porque al llevarnos la contraria en nuestros gustos e inclinaciones, nos formó la personalidad".

El ejemplo de Pericles. Entre los atenienses hubo un hombre que llegó a la más grande popularidad. Fue Pericles (que vivió 450 años antes de Cristo). Este personaje llevó la cultura de Grecia al más alto nivel y fue un gran demócrata. Un día un hombre lo insultó por horas frente a su despacho y Pericles permaneció sin responder palabra. El ofensor lo siguió con insultos hasta su casa, y cuando Pericles llegó a su finca mandó a un empleado a que acompañara al otro hasta la ciudad con una lámpara encendida porque era de noche y podía perderse o tropezar por el camino. Esto lo cuenta el historiador Plutarco y añade: "con razón el pueblo veneraba tan profundamente al gran Pericles".

¿Qué habríamos hecho en este caso algunos de nosotros? ¿Cómo habríamos reaccionado ante semejante ofensor?

Los antiguos enseñaban un refrán: *"La paciencia es amarga, pero su fruto es dulce"*. Con la paciencia se puede sobrenadar después de cualquier naufragio. Las flores no se abren en un minuto. Las frutas no se maduran en una hora; las heridas no cicatrizan en un día, ni los grandes edificios se hacen en una semana. Todo es fruto de paciente labor. Las cualidades que poseemos pueden resultar inútiles para obtener éxitos, si no tenemos paciencia para actuar y actuar sin desfallecer. Hay que tener como engañosa toda solución que se presente como camino instantáneo para llegar al éxito.

La paciencia es poder. Con la paciencia podremos obtener amabilidad para nuestro carácter, moderación para la lengua y apaciguamiento de las pasiones, y muchas cualidades más. La perseverancia, todo lo alcanza.

Un grado heroico. Un pagano le contaba a San Agustín el caso de aquel obrero estoico al cual su capataz le propinaba fuertes garrotazos, y lo único que le respondía era esto: "Si me sigue golpeando, al fin me va a partir un hueso". Y cuando el otro un día le rompió un hueso de un garrotazo, el estoico exclamó solamente esto: "Se cumplió lo que yo le había anunciado: terminó rompiéndome un hueso". Dígame, le preguntó el pagano al santo obispo: "¿Su jefe Cristo hizo algo parecido a esto?". -Y San Agustín respondió "Cristo hizo algo todavía más heroico: "ante los que lo golpeaban y destrozaban *no respondió nada, se quedó callado"*. Es el grado más heroico de la paciencia: no reaccionar con palabras airadas ante el ofensor.

Cuando el sufrimiento se hace insoportable

Hace poco murió en Nazaret, en Palestina, un santo religioso llamado Simón Srugi, apreciadísimo por los árabes de toda esa región. En sus últimos años padecía espantosos ataques de asma que lo hacían agonizar de sofocamiento. Un día después de uno de esos ahogos casi insoportables exclamó: *"Es terrible cuando falta la respiración"!* Pero luego agregó: "No, no, ***Nuestro Señor*** *así lo dispuso y así lo acepto".* Bellísima exclamación digna de ser repetida por todos los que sufren en el mundo.

Un gamín paciente. Miguel Magone, terrible muchacho de la calle, convertido por San Juan Bosco, murió a los 15 años, al rompérsele una víscera y sufrir una dolorosísima peritonitis (en el siglo pasado cuando no había operación quirúrgica para este mal). Cuenta su biógrafo que este joven *le había pedido a Dios que le aceptase sus sufrimientos como pago por sus muchos pecados,* y los soportaba todos con una paciencia impresionante y con una alegría en el rostro, que llenaba de admiración a los que lo acompañaban. Sus sufrimientos eran intensísimos, pero Dios le concedió tal grado de paciencia que más parecía estar gozando que sufriendo. Así saben morir los santos.

Algo parecido hacía San Pedro Claver el gran apóstol de los esclavos que en Cartagena bautizó 300.000 negros. Cuando lo trataban mal o lo humillaban, y cuando le llegaban muy fuertes dolores en sus enfermedades repetía siempre: *"Más merecen mis pecados"*, y aprovechaba sus sufrimientos para pagarle a Dios las deudas que le tenía por sus faltas.

Otro caso de actualidad. Hacia finales del siglo 20 conocimos a un hombre admirable. Era el Padre Eduardo Martínez, gran músico, director de bandas y de orquestas, apóstol de la juventud y trabajador incansable. Había perdido un riñón, y ya no veía por un ojo. Le habían cortado una pierna (a causa de la diabetes) y no podía comer ni de dulce ni de sal. Era párroco de cuatro pueblecitos muy pobres en los llanos venezolanos, muy distantes entre sí, y tenía qué desplazarse continuamente de un pueblo al otro. El poco dinero que conseguía lo empleaba en comprar libros religiosos para repartir entre sus parroquianos que eran bastante fríos en religión. Y le oímos esta bellísima afirmación: "Me falta un riñón. Ya no veo por un ojo. Me cortaron una pierna. No puedo comer ni de dulce ni de sal. Los pueblecitos que atiendo son pobrísimos y corresponden muy poco a mis esfuerzos por ayudarles. Y sin embargo me siento el hombre más feliz del mundo. *Dios me concedió un regalo maravilloso: una gran paciencia* para aceptar todo lo que Nuestro Señor ha permitido y permitirá que me suceda. Todo sucede para bien de los que aman a Dios. Y yo lo amo a El. Por lo tanto, lo que sucede es para mi bien, aunque yo no lo entienda"! -Formidables declaraciones, dignas de un santo, como en verdad lo era el Padre Martínez, q.e.p.d. ¿Por qué no pedir también nosotros a Dios una paciencia así?

La mejor ciencia. Los campesinos dicen: *La mejor ciencia es la paciencia"* y añaden que *la mejor pomada* para ser capaz de resistir los dolores se llama *"resina"*, resignación (según su modo de hablar). Por eso Santa Teresita confesaba que el gran regalo que Dios le había dado era aceptarlo todo como venido de su mano. Y repetía: *"Dios no hace nada que no sea por amor. Paciencia es aceptar aquello que Dios en su amor permite que nos suceda"*. Todo, todo lo que sucede está en un plan amoroso de Dios. Nada sucede sin su querer (excepto el pecado) y si Dios permite que algo suceda, para algo bueno lo habrá permitido. Dios escribe derecho en renglones torcidos. Al final de la vida veremos que sí en verdad todo sucedió para nuestro bien".

· Tener paciencia consigo mismo

El P. Larrañaga, llamado "el profeta del siglo 20" ha recorrido el mundo proclamando estas enseñanzas: "Hay que hacer un archivo de lo que cada cual es y de lo que ha sufrido y de lo que le falta, *y quemar todo lo desagradable con el fuego de la paciencia ante el altar de Dios,* como un holocausto, aceptando todo, como ha sucedido, y como es y será. Esto trae una enorme paz al espíritu".

Y continúa diciendo Larrañaga: *Hay que entregar en manos de Dios todo lo que no podemos cambiar.* ¿Encuentra uno en su constitución personal tendencias que no le agradan? No se irrite.

Eso sería castigarse a sí mismo. No se declare enemigo de sí mismo. Todo acomplejado vive en guerra consigo mismo. No más guerras. Viva en paz como una flor en el jardín de Dios.

Acepte su cuerpo como es. Dígale a Dios: "Acepto oh Padre este cuerpo tal como Tú has permitido que él sea, porque acepto tu voluntad". ¿Que las enfermedades parecen estar haciendo fila y cuando se va una, llega enseguida la otra? ***Acepte en paz el misterio doloroso de la vida.*** Ame su vida y su existencia como las flores aman al sol.

No se rebele porque no tiene más inteligencia. Es verdad que no es una lumbrera intelectual, pero puede ser cordial y amable, y ya sabe que las personas se hacen admirar por sus cualidades, pero se hacen amar es por los favores y amabilidad que reparten.

¿Que le llegan las melancolías y los desánimos y el pesimismo y las depresiones y no logra alejar todo esto de su alma? ¿Que se entristece y se asusta por todo? ***Nació así y así morirá. No se entristezca por esto.*** Lo mismo les sucedió a millones y millones de personas que vivieron en otros tiempos y ahora gozan felices en el cielo. Tome en sus manos su persona y su temperamento así como son y deposite esto en manos del Padre Celestial diciendo: "acepto mi persona y mi modo de ser, porque todo esto es expresión de tu voluntad y yo amo tu voluntad, pues Tú eres mi Padre muy amoroso y bueno".

Acepte su propia historia. ¿Qué gana con darle cabezazos a la pared? ¿Para qué recordar sucesos dolorosos de su vida? Ese tiempo ya no vuelve más. Lo que pasó pasó y ya no volverá. Los sucesos amargos de la vida no van a cambiar porque los recuerde con rabia, pero sí pueden atormentar inútilmente. ¿Para qué tomar en las manos esas brasas encendidas que queman y de nada aprovechan para el futuro? ¿Quién es el que pierde? No se castigue. Son hechos ya sucedidos y consumados que ya no se pueden cambiar. Acepte en paz la voluntad del Padre Dios que permitió todo eso, y si lo permitió por algo será. Seguramente será para nuestro bien

REMEDIOS PARA OBTENER PACIENCIA

Sicólogos y santos, médicos y educadores, han comprobado que existen ciertos medios sumamente eficaces, que por siglos y siglos han ayudado a millones de personas a conseguir la paciencia que deseaban o necesitaban. Son los siguientes:

1o. *Pedirla a Dios.* Jesús decía que ciertos malos espíritus no se alejan sino con la oración. Y uno de los malos espíritus más difíciles de alejar es el del mal genio y la impaciencia. Pero con la oración se consigue alejarlo de manera admirable. Hay que orar frecuentemente pidiendo buen genio y mucha paciencia para uno mismo y para los demás. Una jaculatoria o pequeña oración muy hermosa recomendada por los directores espirituales es ésta: "*Jesús manso y humilde de corazón, haz nuestro corazón semejante al tuyo*". Muchos y muchas la han repetido y se han transformado de impacientes en amables. Puede ser que con la oración no logremos que no nos llegue el mal genio, pero sí que lo logremos vencer y que consigamos dominar nuestra impaciencia. (Ciertas impaciencias y ciertos malos genios de San Pablo le produjeron esas tremendas páginas de algunas cartas suyas como la 2a. a los Corintios. Era un mal genio bien guiado).

2o. ***Acostumbrarse a callar.*** Salomón dijo en los Proverbios: "Quien se calla en el momento de la ira, evita así muchas horas amargas para más tarde. Pero quien habla cuando está de mal genio se prepara muchas amarguras". Muchos lo hemos experimentado y podemos firmar la frase anterior añadiendo: "Así es. Así me sucedió a mí". Los sabios antiguos repetían esta gran verdad: *"Si callamos la palabra ofensiva que deseábamos decir, dejaremos de oír la palabra ofensiva que nos iban a contestar".* Pocas penitencias tan provechosas como el acostumbrarse a callar. El evangelio presenta a Jesús durante toda su dolorosísima pasión *"Revestido de Silencio".* Cinco veces repite el libro Sagrado: "Y Jesús callaba, Jesús callaba"... ¿Qué nos habrá querido enseñar con esto? Recordemos lo que decía San Vicente: "Tres veces hablé estando de mal genio, y las tres veces dije burradas".

3o. ***Respirar hondo.*** El P. Irala escribió un libro famoso llamado "Control emocional" del cual se han hecho 107 ediciones. Y allí cuenta que él logró una transformación total y cambió su modo de ser triste, impaciente y altanero, llegó a obtener una gran serenidad, a base de respirar hondo y profundo muchas veces. Y prueba con enseñanzas de grandes científicos cómo el respirar hondo y profundo lleva al cerebro una saludable cantidad de oxígeno que ayuda mucho a tener comportamientos agradables y llenos de serenidad. Los sicólogos dan este ***provechosísimo consejo***: "Cuando alguien recibe un insulto o una humillación, o se le presente algo muy desagradable: ***respire hondo antes de hablar.*** Esto es de una eficacia formidable; porque ese oxígeno que inunda nuestro ser, nos trae paz y serenidad. Cuando en un salón se enrarece el aire porque hay mucha gente y poca ventilación, automáticamente llegan el cansancio y el desgano. Hay escasez de oxígeno y el cuerpo se resiente y el ánimo también.

4o. *Hacer mucho ejercicio físico.* Cuando la persona está airada y disgustada, los nervios del cuello se ponen sumamente tensos (tanto que si se les acerca un aparato especial silban como una sirena) y al estar esos nervios tan tensos oprimen las arterias que llevan sangre al cerebro, y llega la palidez y se pierde el dominio de sí mismo y ya uno no sabe ni lo que dice, y no domina sus sentimientos. En cambio al hacer ejercicio físico (por ej., esa gimnasia que nos enseñaban cuando éramos estudiantes) se sueltan los nervios tensos del cuello, aumenta la circulación de la sangre por todo el cuerpo, y nos sentimos como nuevos, llenos de salud física y mental. Cuando estamos sentados el corazón palpita a 60. Cuando estamos de pie, palpita a 90 y cuando hacemos ejercicios físicos palpita a 120. Por lo tanto transporta el doble de sangre que cuando estamos sentados. Y la sangre es vitalidad. Ella hace en el organismo el oficio de los camiones que recogen las basuras: ella va recogiendo las toxinas y las va llevando a los pulmones para que sean expulsadas por la respiración. Y cuánta más circulación de sangre: más depuración y más saludables estaremos.

- 8 -

¿QUIERE SER FELIZ?

SEA HUMILDE

El heraldo avisador

En la antigua Roma cuando un gran militar regresaba a la capital y recibía honores de la muchedumbre, detrás de la carroza del triunfador iba un heraldo repitiendo de vez en cuando: "*Acuérdate de que eres hombre, una simple creatura, débil, mortal y frágil*". Es lo que hace la virtud de la humildad: irnos recordando que nuestros dones y cualidades son frágiles, fáciles de perder y de corta duración. Invitarnos a cambiar la admiración por sí mismo, por la admiración hacia lo que Dios ha hecho por nosotros. A dominar el afán inmoderado de conseguir admiración y aplausos, y decirnos que si alguna vez uno se admira de sí mismo, tiene que hacerlo de rodillas, dando gracias a Dios, reconociendo que todo lo bueno que tenemos, lo hemos recibido de su bondad.

Una gracia que jamás falta. Entre las gracias o ayudas que Dios envía a quienes desea santificar, *jamás falta la gracia de la humillación.* Recibámosla como un seguro providencial contra el orgullo. Los santos saben que los asaltos del mal son la máxima humillación, por eso no les extrañan estos asaltos y los consideran como un estímulo para crecer en fervor y orar más y más. Pero no se deprimen y al llegarles la humillación miran a Cristo Crucificado y recuerdan que por nosotros se humilló hasta la muerte y una muerte de cruz, y saben que quienes se humillan como Cristo serán después glorificados como El.

Algo que desaparece como el humo. La estimación de la gente desaparece como le sucede al humo cuando sopla el viento; pero en cambio la estimación de Dios dura para siempre. Por eso la persona humilde no busca la estimación de las creaturas, sino tener contento a Dios.

Un rival peligroso. El más peligroso rival de la gloria de Dios es la exaltación del propio yo, el orgullo. El andar buscando que me estimen los demás y aparecer bien ante las otras personas. *Peligro a la vista!* Esto me puede llenar de afanes inútiles e inutilizar también toda mi vida. Pero la humildad me dice: "si soy nada y miseria y una colección de nadas y miserias, ¿por qué me voy a enorgullecer? ¿Por qué vivir deseando que los demás me estimen y me alaben? Con eso únicamente estaré sembrando vientos y así solamente lograré cosechar tempestades".

Un ídolo derribado. Oh humildad: derribas el ídolo del orgullo y colocas en su lugar la gloria de Dios. Cada día vivimos tratando de adorar y de hacer que otros adoren *a un ídolo vacío: nuestra autoimagen,* nuestra propia estimación. Pero si en cambio de esto, lo que nos proponemos es obtener que Dios sea alabado y bendecido y estimado cada vez más, entonces sí habremos colocado la verdadera divinidad en el templo de nuestra vida y marcharemos seguros hacia la gloria eterna.

La petición de San Francisco. Recordemos lo que cuentan de este gran santo: que pasaba las noches enteras repitiendo esta oración: *"Señor: conózcate a Ti, conózcame a mí"*. Y que una madrugada recibió una luz del cielo y logró comprender tan admirablemente la sublime grandeza de Dios y la pavorosa debilidad del ser humano, que desde ese día ya solamente buscó que Dios fuera amado y obedecido y admirado, y nunca más el obtener alabanzas para su propia persona humana. Es una oración digna de ser repetida muchas veces y que puede conseguirnos efectos admirables.

Un buen consejo. San Francisco de Borja, que pasó de ser gobernador a ser un simple religioso, oyó una vez a un santo varón que si quería progresar en la virtud de la humildad *no dejara pasar un sólo día sin pensar en sus propias miserias,* pero que si deseaba crecer en el amor de Dios, dedicara también cada día unos minutos a pensar en las grandezas y cualidades de Nuestro Señor.

Desde entonces se propuso dedicar cada día unos minutos a recordar sus miserias y debilidades y otros a pensar en las grandezas y cualidades de Dios, y su crecimiento en humildad y en amor de Dios fue impresionante. Es que cuánto más se conocen las perfecciones y la santidad de Dios, más pobre y lleno de miserias se siente uno mismo y entonces va dejando de buscar elogios y admiración para esta creatura que no es más que un mendigo vestido de unas cualidades prestadas, y más y más gloria y admiración desea para Dios que es la colección completa de todas las perfecciones y maravillas.

Frases de sabios

San Jerónimo dice que la gloria es como la sombra: huye del que trata de alcanzarla y sigue al que huye de ella. La consiguen los que no buscan gloria para sí mismos.

El sabio Séneca repetía: *"si vivimos hablando de nuestras obras, los demás juzgarán que buscamos alabanzas por ellas".*

San Luis afirmaba: "Para alcanzar la castidad se necesita una gracia especial de Dios, pero esta gracia se le niega a los orgullosos". Y San Juan Bosco añadía: "En 40 años de sacerdocio he comprobado que *a las personas muy orgullosas les permite Dios caer en pecados muy humillantes".* Sin humildad no hay castidad.

Y San Agustín exclamaba: "A algunas personas les conviene caer en pecados manifiestos para que aprendan a humillarse y a no enorgullecerse".

San Gregorio Papa dijo: "El orgullo es semillero de impurezas. El orgullo anda siempre acompañado de la impureza. Quien no es humilde no logra conservar su pureza".

La respuesta de un demonio

Frente a un endemoniado dijo un joven: -"Espíritu inmundo, tendrá que salir de esta persona, porque hemos traído un especialista que lo hará huir". El demonio respondió: -"Este no tiene poder sobre mí, porque es orgulloso como yo y no es humilde". Y no se fue.

Mareo peligroso: quien se encuentra en sitio muy elevado puede sufrir mareos que invitan a caer hacia el abismo. Cuando empieza la gente a decirnos que somos santos o que tenemos cualidades admirables o que hemos hecho cosas muy importantes, podemos sentir el mareo del orgullo que lleva al abismo de la vanidad. Por eso la persona humilde no busca que le alaben, y huye de las demasiadas felicitaciones.

Jesús no se ensoberbece por los "Hosanna" ni se desanima por los "Crucifícale". Hay qué imitarlo a El. Quien medita en Cristo, necesariamente se va volviendo humilde.

Santa Teresa recomendaba: "Cuidado con las alabanzas, con *que vivan diciendo que somos gente santa. Pocas cosas tan mentirosas como éstas.* Y lo grave es que a veces hasta lo creemos. El bien viene de Dios y no tenemos por qué ensoberbecernos. El mal viene de nosotros y con razón debemos humillarnos. Pero cuidado: entristecernos hasta el abatimiento y el desánimo es un vicio peligroso y dañoso. Desanimarse por las propias faltas es no conocerse a sí mismo. ¿De este árbol tan dañado que es nuestra naturaleza, qué otros frutos podemos esperar sino frutos malos? A no ser que Dios venga a ayudarnos!

Los fariseos se consideraban humildes porque se prosternaban en plena calle para orar, pero seguían creyéndose superiores a los demás y les demostraban desprecio. También ahora se encuentra uno con gentes que se creen humildes, pero ¡ay de quien se atreva a decirles que tienen errores o defectos! Un poco de ciencia, un puesto algo elevado... y pobrecitos de los que les toque aguantarlos! Quien no les ofrezca incienso de alabanzas al ídolo de su autoimagen, que se prepare a sus ataques y a su antipatía! Y yo mismo puedo tener esa falta de humildad y hacer amarga la vida mía y la de otros con mi orgullo solapado. Hablar de uno mismo es tan peligroso como andar sobre una cuerda muy alta. Fácilmente se viene abajo. Hablemos lo menos posible de nosotros mismos y cuando lo vamos a hacer preguntémonos si en verdad la conciencia nos pide que lo hagamos. Cuántas mentiras y exageraciones cuando se habla de sí mismo, aunque sea para desacreditarse! Aparenta ocultarse y lo que busca es hacerse conocer. *Humildad de garabato* se llama este defecto.

Recordemos lo que decía el sabio: Cuando otro me habla de sí mismo me dispara su autobiografía, y cuando yo le hablo de mí mismo le estoy contando mi propia biografía. Pero qué difícil es contarla sin mentir ni exagerar ni buscar la propia alabanza, o la autodefensa.

Hablamos mal de nosotros mismos y alguno nos dice: "¿Pero es verdad que haya sido así de idiota?" -y con este alfilerazo se nos desinfla el globo del orgullo y quedamos desilusionados. Es que hablábamos así era por pura *humildad de garabato.*

Cuántos y cuántas hay que al hablar parecen ángeles de humildad, pero los que viven con ellos exclaman: ¡ah, si los conocieran!

Qué fácil y hasta bonito es hablar bien de la virtud de la humildad. Es un sueño! Pero apenas despertamos a la realidad, lo que manda en nosotros es el orgullo y la vanidad.

En vez de hablar de uno mismo, hablemos a los demás de ellos mismos. Así nuestro yo queda olvidado. Hay que quitar de la conversación toda supuración del "yo" porque estos residuos contaminan todo el resto. No ambicionemos atraer la atención sobre nuestra persona. Cuando le preguntaban a Santa Teresita por qué en las reuniones era tan callada, respondió: *"Es que no quiero atraer la atención de los demás hacia mí"*. La persona humilde desea ser olvidada y no tenida en cuenta, y esto lo busca como el viajero sudoroso busca la sombra de un árbol en pleno mediodía.

Buda y los valles. Preguntaron al sabio Buda por qué los valles son tan fértiles y las altas montañas tan estériles y respondió: "Es que los valles se abajan y reciben y detienen las aguas de las lluvias. En cambio a las altas montañas por elevarse tanto, se les resbala el agua y no logran retenerla para que les permita producir mejores cosechas. Y así sucede al ser humano: si se eleva lleno de orgullo, se queda sin retener las ayudas del cielo, pero si se humilla le llegan en abundancia las lluvias de bendiciones que vienen de lo alto para concederle frutos de santidad. Los más grandes bienes espirituales los han conseguido los que se creen pobres y necesitados y se olvidan de sí mismos y sólo viven para los demás".

Remedio saludable: cuando me elogien y alaben debo pensar: *"Ah, si me conocieran!"* y recordar mis malos instintos, mi invencible flaqueza y debilidad que me lleva a caer y caer. Es verdad que mis faltas puede ser que ya estén perdonadas, pero la humillación queda y no se va. Que mis propios defectos ocupen suficientemente mi tiempo para no dedicarme a tener pensamientos de orgullo. Si tengo humildad, tendré más felicidad" (Baudenom).

LA S. BIBLIA

QUIEN LA LEE:
SERÁ SABIO

QUIEN LA CREE:
SERÁ SALVO

QUIEN
LA PRACTICA:
SERÁ SANTO

- 9 -

¿QUIERE SER FELIZ?

LEA LA S. BIBLIA

Jesús repetía esta bella promesa: *"Dichosos serán los que escuchen la Palabra de Dios y la pongan en práctica"* (Luc. 8,21) y si Jesús dice que serán dichosos es que en realidad sí lo serán, porque El nunca anuncia algo para no cumplirlo.

Ya en el primer salmo de la S. Biblia Dios había anunciado: *"Dichoso será quien medita la Ley del Señor de noche y de día. Será como un árbol que crece junto a un río: da fruto a su tiempo; sus hojas no se marchitan y cuanto emprende tiene buen fin".* Son promesas dignas de ser recordadas frecuentemente para no ser olvidadas jamás.

En la S. Biblia encontramos respuestas a las preguntas más importantes de la vida: ¿De dónde venimos? ¿Para qué estamos acá en esta tierra? ¿Qué razón tiene nuestra existencia? ¿Qué estamos consiguiendo con lo bueno y lo malo que hacemos; con lo que pensamos o decimos?

Una de las ocupaciones más importantes de un cristiano es leer la S. Biblia, estudiarla en actitud de oración, y tratar con la ayuda del Espíritu Santo de poner en práctica lo que ella recomienda.

Phelps, estimadísimo profesor de Estados Unidos y rector de la Universidad de Harvard decía: *"El conocimiento de la S. Biblia sin estudios universitarios puede hacerlo a uno más persona, que los estudios universitarios sin conocimiento de la S. Biblia".*

UNA DE LAS TRAGEDIAS MAS GRANDES DE LA ACTUALIDAD -dice B. Graham- es que la Biblia, a pesar de estar siempre abierta por parte de Dios, permanece cerrada para millones de personas porque no se toman el esfuerzo de dedicar unos minutos cada día para leerla, o si la leen no se toman el esfuerzo de practicarla". Y añade:

NO PUEDE HABER MAYOR TRAGEDIA, para un ser humano o para una nación, que no querer poner atención a lo que Dios le dice en su libro santo, o aun rindiendo culto con los labios a la Biblia, no leerla, o no preocuparse por cumplir lo que ella manda".

LA BIBLIA ES EL DOCUMENTO MAS IMPORTANTE de que dispone la raza humana. Pero si queremos que nos aproveche y nos transforme tenemos que leerla, creerla y tratar de obedecer a sus mandatos y recomendaciones.

UNA ENCUESTA DESANIMADORA. Se recogieron datos entre nuestras gentes y se llegó a esta triste conclusión. De cada cien creyentes, sólo 20 leen la S. Biblia. Los otros 80 no la tienen o no se preocupan por leerla. Y de los que sí la leen, de cada cien, solamente 12 la leen cada día. 32% la leen cada semana, y el resto, 56% apenas la leen de vez en cuando. Se cumple lo que dijo el profeta: *"El pueblo se muere de*

QUIEN ESCUCHA
LA PALABRA
DE DIOS
Y LA
PRACTICA,
ES COMO
CASA
EDIFICADA
SOBRE ROCA:
NO FRACASARÁ

(S. Biblia Mateo 7)

hambre y de sed (espiritual) estando junto a la fuente de aguas frescas y tan cerca del Maná venido del cielo. Mueren de hambre espiritual, teniendo a la mano el mejor alimento compuesto por el mismo Dios".

La BIBLIA HAY QUE LEERLA CON ESPIRITU SANTO, o sea rezando a Dios para que nos ilumine qué es lo que en esas páginas El nos quiere decir. Porque puede alguien conocer la Biblia de pasta a pasta, aprobar cualquier examen acerca de ella, y citarla de memoria, y sin embargo no captar su significado, si no oró al Espíritu Santo pidiéndole la gracia de entender el mensaje divino. La Biblia hay qué leerla con UN CORAZON NECESITADO, diciendo con el profeta Samuel: *"Habla Señor, que tu siervo escucha"*

Quien no siente la necesidad de ser instruido por Dios, pierde la oportunidad de que El le hable en su Libro Santo, porque *"Dios rechaza a los orgullosos, pero a los humildes les da su gracia"*. (Sant. 4,6). Pero si alguien siente la absoluta necesidad de ser instruido por Nuestro Señor, y le pide sus luces, entonces sí la Biblia se le convierte en un libro impresionantemente instructivo y provechoso (Barklay).

Un consuelo a tiempo

El obispo Buttler estaba muy angustiado en su última enfermedad pensando en el Juicio de Dios que nos espera al final de la vida y empezó a pedirle con insistencia a Dios que le enviara algún mensaje consolador, por medio de la S. Biblia. Y un sacerdote se le acercó diciendo: "No tiene por qué temer, pues Jesús dijo:

"Al que venga a Mí, yo no lo echaré fuera" (San Juan 6,37). El obispo exclamó: "Tantas veces había leído esa frase y nunca había comprendido su significado. Ahora puedo morir en paz". Y recobró su tranquilidad. Al conocer que tenía necesidad de que Dios le iluminara y al suplicarle a Nuestro Señor que le hiciera comprender sus mensajes, se le abrió el tesoro de las Escrituras y logró entender lo que necesitaba comprender. Cuando leemos el Libro de Dios con un corazón que reconoce que necesita que el Señor le ilumine y le pedimos sus luces, entonces ese libro se convierte para nosotros en el libro más provechoso del mundo.

El Cardenal Bea, gran sabio jesuita, dedicó su vida entera a leer y tratar de entender y de hacer que otros amaran y entendieran la Biblia. Por 19 años fue Rector del Instituto Bíblico (la máxima autoridad universitaria en Roma acerca de la Sagrada Escritura). El insistía siempre en esto: "*Cuando queramos convencernos de algo y tratar de convencer a otros, tratemos de buscar las bases bíblicas que apoyen eso que decimos*". Y repetía: "La S. Biblia es *la herencia preciosa, el tesoro valiosísimo,* del cual podemos disponer todos los cristianos del mundo". El día de su funeral (febrero 1982) el Sumo Pontífice Juan Pablo II lo presentó como modelo de lo que debe ser un buen lector de la S. Biblia, que no sólo se contenta con amarla y tratar de entenderla lo mejor que pueda, sino que se esfuerza por obtener que otros la amen y la logren entender lo más que les sea posible.

LOS PRIMEROS MONJES formados por San Benito (desde el año 500) le daban enorme importancia a la lectura de la S. Biblia. Le dedicaban tres horas diarias

(San Benito ordenó que de 7 de la mañana hasta las diez, cada monje se dedicara a leer y meditar la Palabra de Dios y a tratar de aprenderse cada día algunas frases o salmos). Esta lectura meditada de cada día constituyó por muchos siglos una de las ocupaciones esenciales de todo religioso en la antigüedad. La lectura de la S. Biblia era para cada religioso la suprema regla de vida, el espejo para ver lo que él debía llegar a ser, el alimento que fortificaba su alma y los hacía crecer espiritualmente. Y su lectura los llevaba a gran santidad.

San Juan Crisóstomo protestaba contra los que decían que la S. Biblia la deben leer sólo los religiosos y recomendaba que nadie dejara pasar el día sin leer siquiera unos renglones, y añadía: *"Una sola frase de la Sagrada Escritura es alimento suficiente para pasar santamente toda una jor nada"*.

El Papa San Gregorio Magno, afirmaba: la lectura de la S. Biblia es *arma que nunca falla, placer que proporciona verdaderas alegrías, remedio divino* para todos los males del alma, armadura protectora contra los enemigos de la salvación, luz en la noche y fuego que enciende el corazón en amor a Dios".

SAN ODILON (famoso santo del año mil) decía: "La S. Biblia *es el libro donde me encuentro con Dios.* Allí me espera El y cuando abro este santo libro, allí lo encuentro, y Dios me habla personalmente en esas páginas, y me comunica sus pensamientos. *Leer los evangelios es encontrarme con Cristo,* oírlo hablar, verlo actuar y sentir sus llamadas e invitaciones a seguirlo y a llegar a la santidad y a la gloria eterna.

CURIOSA SUPOSICION. Supongamos que del cielo se cayera a la tierra *un casette con una conferencia dictada por Dios* acerca de cómo hacerse santo, ser feliz y conseguir la eterna salvación... ¿Quién no compraría ese casette por más costoso que fuera? ¿Quién no lo escucharía una y mil veces? Pues... ese casette existe. Es la S. Biblia. Allí Dios grabó todos los datos para hacernos santos y conseguir la felicidad y la eterna salvación. ¿Por qué no conseguirlo? ¿Por qué no repasarlo de vez en cuando?

LOS CHEQUES QUE NO SE ENCONTRARON

Un padre de familia tenía que viajar al exterior y les dijo a los hijos: "Aquí en la casa les dejé varios cheques al portador. El que los encuentre cóbrelos y gásteselos".

Cuando volvió del viaje encontró que los hijos les habían sacado las tripas a todos los colchones y a las almohadas y les habían quitado el forro a todos los muebles, pero no habían encontrado los tales cheques.

Y el hombre sonriendo les dijo:

-"Ya lo sabía yo que no los encontrarían, porque *los dejé escondidos en el único sitio a donde no iban a buscarlos"*. Y abriendo la S. Biblia les mostró todos los cheques que había dejado a disposición de quien fuera a buscarlos allí... El papá Dios hace algo parecido y mucho mejor. Ha dejado grandes cheques de premios temporales y eternos dentro de su Libro Santo. Cuando algunos creyentes se mueran les dirá quizá:

"¿Encontraron los tesoros que les dejé de regalo?
-No Señor. ¿Dónde los había dejado?

-Escondidos entre mi Libro Sagrado.
¡Ah qué lástima! Lo hubiéramos sabido a tiempo! Pero ya es tarde!

Pero muchos de nosotros le vamos a decir:

-Sí Padre mío, los encontré y los cobré todos. Gracias Padre Dios. Cada vez que abrí y leí tu Santo Libro, algún tesoro me encontré allí para mi vida terrenal o para mi vida eterna!

Hay que ser un poco más vivos. No dejemos de buscar por allí en la S. Biblia. Que lo que hay escondido en su lectura es mucho mejor de lo que podamos calcular o pensar.

BONHOFER fue un estudioso de las Sagradas Escrituras, y él dejó escritas estas bellas frases: *-La S. Biblia es la Divina Biblioteca.* Los buscadores de Dios tenemos nuestro *libro guía* para lograr encontrarlo. Este Libro Santo es el sitio que Dios eligió para encontrarse con nosotros. Ese es el sitio que Dios me ofrece para encontrarnos los dos, y cada día me entrega allí algún maravilloso mensaje, si leo con fe y oración.

La clave es leerla con fe

Leerla con la seguridad de que es Dios quien ha dirigido personalmente la redacción de este libro. El nos habla porque nos ama, nos habla para hacernos más felices. *"Así como la lluvia cae a la tierra y la llena de verdor y de frutos, así mi palabra no quedará sin producir fruto a donde llegue"*: dice Dios (Isaías 55,11). Si Dios no nos hablara, sería señal de que no nos amaría tanto. Me habla a mí personalmente allí en esas páginas. Es necesario hacer un acto de fe que Dios me sigue hablando en las páginas de la Sagrada Escritura. *Abrir y leer la S. Biblia es escuchar a Dios.* El se dirige a mí, personalmente y estará muy contento si le escucho sus mensajes y trato de hacer caso a sus santas recomendaciones. (Colombás)

Algunos casos especiales

San Antonio. Hace 18 siglos un joven oyó leer la página del evangelio donde Jesucristo le aconseja a un hombre que si desea conseguir el Reino de los cielos reparta sus bienes entre los pobres y lo siga a El, y aquel joven llamado Antonio, repartió todos sus bienes a los pobres y se fue a un desierto a rezar, a leer la Sagrada Escritura y a hacer penitencia, y llegó a ser el famoso San Antonio Abad, fundador de los monasterios de religiosos en el desierto.

Santa Teresita. Al leer el Capítulo 13 de la 1a. Carta a los Corintios donde San Pablo dice: *"Si yo no tengo amor de caridad, nada soy"*, se convenció de que lo mejor que ella podía hacer en la vida era dedicarse a amar a Dios y a tener caridad con el prójimo y esto la llevó a una gran santidad.

Una verdad muy importante. Hace cerca de 19 siglos, por allá en el año 150, vivió un emperador muy sabio llamado Marco Aurelio, que escribió frases profundas, fruto de mucho tiempo de meditación. Y una de sus frases más famosas es ésta: *"Cada persona es lo que sean sus pensamientos".* Si tiene buenos pensamientos será buena persona. Si sus pensamientos son malos será una mala persona. Esto lo aceptan los sicólogos en todas partes y en todos los tiempos. Pues bien: *¿quiere alguien llenar su cabeza de los mejores pensamientos del mundo?* La fórmula

es muy sencilla: lea la S. Biblia y trate de ir aprendiendo algunas de las frases de tan bello libro. La experiencia ha demostrado que los pensamientos más creadores y positivos son los de la Biblia. Este libro es como una esponja llena de perfumes que van invadiendo el alma y la van llenando de buenas ideas. La experiencia de miles y millones de personas ha demostrado que los pensamientos de la Biblia producen un cambio impresionante en la personalidad y la transforman y mejoran de manera no imaginada. Uno los va acumulando en el cerebro, y en el momento oportuno los va sacando para resolver situaciones que se presentan. Son tantos los pensamientos positivos que hay en la Biblia que uno puede leer este santo libro durante toda la vida sin acabar jamás de descubrir los tesoros y más tesoros de pensamientos provechosos que allí hay escondidos (Peale).

Para alejar los malos pensamientos

Es una gran verdad que cada *uno es lo que piensa durante las 24 horas del día.* Si los pensamientos son de temor, la vida será de temor. Si los pensamientos son de rencor, la vida será de rencor. Unica forma de eliminar los pensamientos negativos es cambiarlos por pensamientos positivos. *Y los pensamientos de la Biblia tienen el poder de alejar los pensamientos negativos.* Aprendamos pensamientos o frases de la S. Biblia. Vayamos aprendiendo poco a poco más y más pensamientos bíblicos y repasémoslos. Y si uno nos causa especial impresión copiémoslo y grabémoslo en la memoria porque se puede convertir en nuestro pensamiento dominante que nos va a ser de inmensa utilidad en muchas ocasiones. Por ej. si alguien padece de miedos y temores apréndase este pensamiento de San Pablo: *"¿Si Dios está con nosotros, quién podrá contra nosotros?"*- Si una persona tiene demasiada timidez repítase aquella frase de Jesús: *"Todo es posible para quien tiene fe»,* o si es muy débil repita lo que decía San Pablo: *"Todo lo puedo en Cristo que me fortalece".*

Cuando se presentan problemas muy difíciles de solucionar repitamos la frase de Cristo: *"Lo que para la gente es imposible, es posible para Dios. Todo es posible para Dios"* (Lc. 18). Grabémonos este pensamiento en nuestro cerebro y dejemos de atormentarnos. Pensemos: «es verdad que para mí es imposible resolver este problemota tan grande, pero *"para Dios todo es posible. Ninguna cosa es imposible para Dios"* (Luc. 1,38) y El resolverá todo esto, de la manera que sea más conveniente para mí, porque me ama y escucha mi oración». Cuando alguien se siente que tiene impureza en el alma repita la frase del rey David: *"Oh Dios: crea en mí un corazón puro y no apartes de mí tu santo espíritu".* Dios puede crear en nosotros un espíritu puro para que no nos traicionen nuestros impulsos ni reaccionemos de manera indebida.

¿Que tenemos un carácter duro y agresivo? Recordemos lo que decía Jesús: *"Aprended de Mí que soy manso y humilde de corazón".* ¿Que nos sentimos cansados, aburridos, desanimados ante tantas dificultades de la vida? Volvamos a repasar aquella invitación de Nuestro Redentor: *"Vengan a Mí todos los que están cansados y agobiados y Yo los aliviaré"* o la frase bellísima del salmo 55: *"Coloque sus preocupaciones en manos de Dios y El las irá*

solucionando". En vez de dejar las preocupaciones dando vueltas en el cerebro como un disco rayado y atormentándonos inútilmente, coloquémoslas en las manos poderosas de nuestro amado Dios y veremos qué paz vamos a conseguir. Y cumpliremos así lo que aconseja el Libro de los Proverbios: *"Confiemos en el Señor con todo el corazón y no nos apoyemos sólo en nuestra prudencia"*. Esta confianza nos puede evitar crisis nerviosas. El mejor remedio para evitar la depresión es confiar en que Dios intervendrá en nuestro favor. Si confiamos en Dios podremos tener un futuro alegre. Y ningún otro libro tan útil para adquirir una gran confianza en Dios como la Santa Biblia (Peale, en su hermoso libro "El Poder del pensamiento tenaz").

Remedio para la tristeza. Santa Teresa cuenta que ella se sentía muy entristecida y desanimada por sus pecados, pero que un día leyó el pasaje del evangelio de San Lucas donde se narra el encuentro de Jesús con la pecadora adúltera a la cual los judíos querían apedrear, y cómo el Divino Maestro le dijo (después de decir a los judíos: si alguno está sin pecado, que lance la primera piedra). *"¿Ninguno te ha condenado? Yo tampoco te condeno"*. Santa Teresa consideró esa frase de Jesús como dicha para ella misma, y también la que sigue *"No peques más"*, y esto la consoló y le alejó la tristeza que la atormentaba.

El reproche de un Pontífice. San Gregorio Magno escribió a un médico amigo: "Tengo un reproche que hacerle: se dedica a muchas actividades materiales y no aparta un tiempo cada día para leer lo que Dios le dice en la Sagrada Escritura. Si el jefe de la nación le escribiera una carta y no apartara tiempo para leerla, ¿qué diría? Pues Dios le escribió. ¿Por qué no lee su carta que es la Sagrada escritura?". **¿Qué me dirán a mí estos ejemplos?**

- 10 -
¿QUIERE SER FELIZ?

DEDIQUESE A DAR BUEN EJEMPLO

Hay una frase de Jesús que se vino volando hace 20 siglos a través de los tiempos, de los mares y de los continentes para llegar hasta nuestros ojos y oídos y hacernos un gran bien. Dice así: "*Que de tal manera brille la luz de su buen ejemplo, que los demás al ver sus buenas obras, bendigan al Padre Dios que está en los cielos*" (Mt. 5,16). Si hay algo que llene de alegría y paz la propia vida y la de los demás es el dedicarse a dar buen ejemplo.

El buen ejemplo no se olvida

La gente dice: "*Las palabras vuelan, los ejemplos quedan*". Y esto es muy cierto. ¿Podrían los apóstoles olvidar *aquella escena del Jueves Santo* cuando Jesús toma una toalla, una jarra y un platón y se arrodilla junto a los pies de cada uno de esos 12 pescadores a lavarles los pies? Este buen ejemplo nunca jamás se les podía olvidar ya. Y les hizo mucho bien.

San Juan cuando escribe su evangelio recuerda emocionado aquel buen ejemplo de Jesús, cuando al ser abofeteado por un guardia en la casa de Caifás, en vez de reaccionar airadamente, le responde con toda calma: *"Si he dicho algo malo, ¿dígame qué fue lo malo que dije" y si no, por qué me golpea?"*. Después de 40 años de sucedido este caso, al apóstol Juan le parece estar todavía viendo el supremo ejemplo de calma y serenidad del Divino Maestro al ser agredido tan injustamente. Este su buen ejemplo le fue más útil que mil sermones.

A San Lucas probablemente le brotaban las lágrimas y le temblaban las manos de emoción al escribir aquella escena en la cual Jesús, mientras le clavaban las manos y los pies, gritaba: *"Padre, perdónalos porque no saben lo que hacen"*. Este buen ejemplo de Cristo nos anima más a perdonar y a rezar por los que nos ofenden, que si nos hubiera dejado cien leyes ordenándonos que lo hiciéramos.

Los buenos ejemplos en la Sagrada Escritura

Del justo *Abel* no sabemos ninguna palabra que él haya dicho, pero sí aquel su ejemplo de generosidad, pues *él ofrecía para Nuestro Señor lo mejor de su rebaño"* (Génesis 4,4). Y este ejemplo ha sido provechoso por miles de años para los que leen el Libro Santo. Es un ejemplo sin palabras que ha quedado para siempre como lección.

Noé, sin dejarnos ni siquiera una palabra de recuerdo, nos ha regalado para siempre una enseñanza con su buen ejemplo: se conservó libre de la corrupción de la gente de su tiempo, y Dios le conservó la vida en el diluvio. Como él, muchas personas, sin decir una palabra, les hacen bien a los demás llevando una vida pura, sin dejarse contaminar por las malas costumbres de su tiempo.

Abraham es un modelo de buen ejemplo. Enseña más con sus obras que con sus palabras. Deja las comodidades de una rica ciudad y se va a vivir, en una región pobre y deshabitada, con tal de lograr conservar su fe y su religión. *Da para Dios la décima parte de lo que consigue.* Y con tal de tener contento a Nuestro Señor se arriesga hasta a sacrificar su único hijo, si así lo pide el Creador. Espera contra toda esperanza y cree totalmente lo que Dios le dice, aunque las apariencias lo lleven a creer lo contrario. Con estos sus buenos ejemplos Abraham seguirá predicando por siglos y siglos.

El caso de José en Egipto. Después de casi cuatro mil años de haber sucedido, los creyentes recordamos con admiración lo que le sucedió en Egipto a José, el que había sido vendido por sus hermanos. Estando de sirviente en la casa del gobernador de la capital de esa nación, sucedió que la esposa del mandatario se enamoró de él y le propuso ofender a Dios. José estremecido de horror le dijo: *"¿Cómo voy a hacer un mal tan grande, pecando contra Dios?"* (Génesis 39,9) y prefirió que lo echaran a la cárcel, antes que ofender a Nuestro Señor. Pasarán siglos y siglos y este buen ejemplo de José en Egipto servirá a muchas personas para preferir perder puestos y amistades, con tal de no hacer lo que ofende al buen Dios. Con razón decían los sabios antiguos: *"La palabra mueve, pero el ejemplo arrastra"*.

Una filmadora y una grabadora. El Papa Pío XII decía a los padres de familia: "Recuerden que los ojitos de sus hijos son una filmadora y sus pequeños oídos son una grabadora, y van grabando todo lo que ven hacer u oyen decir a sus padres, y esto se les grabará por siempre en su memoria". Por eso el poeta Gabriel y Galán decía:

Los hijos en el hogar
siempre han de escuchar y ver
buen ejemplo en el rezar
buen ejemplo en el hacer
buen ejemplo en el hablar.

Luz en el candelero. Jesús decía: *"No se prende una luz para meterla debajo de la cama, sino para ponerla en un sitio visible y que ilumine toda la habitación"* (Mat. 5,15). Cada uno de nosotros tiene qué irradiar luz de buenos ejemplos, y quizá con su buen comportamiento esté influyendo más en los demás que con sus palabras.

Dos casos típicos. Muchos de nosotros recordamos con veneración el ejemplo de nuestro buen papá; con qué respeto asistía a las ceremonias en el templo. Para un niño su papá es el ser más grande que existe. Y ver a ese hombre tan grande, de rodillas en la Santa Misa, o de pie durante el evangelio, y oírle rezar devotamente, eso nos impresionó de tal manera que su imagen venerable ha quedado para siempre grabada en nuestra memoria. Puede ser que de sus palabras sean muy pocas las que aun recordamos, pero los ejemplos de sus nobles comportamientos jamás se nos podrán olvidar. Y ese recuerdo nos hace bien.

El papá de Santa Teresita. El segundo caso que queremos comentar es el del papacito de Santa Teresita, Don Alonso Martín. La santa recordaba muy pocas palabras dichas por su padre, pero lo que nunca logró olvidar, y lo que recordó siempre con profunda veneración fue el comportamiento tan supremamente noble y santo de su buen papá. Los buenos ejemplos de su padre se le quedaron grabados a ella en su memoria como la más impresionante de las películas. Recordaba por ej. que en una peregrinación a Roma, en el tren alguien invitó al Sr. Martín a jugar al naipe y él le dijo que no lo hacía, porque iba en peregrinación piadosa. El otro lo humilló tratándolo de fariseo, y el santo caballero no le respondió ni una palabra y en el resto del viaje trató al ofensor con la más exquisita caridad. Los ojos y los oídos de Santa Teresita, que aun era muy niña, grabaron imborrablemente los santos comportamientos de su padre y esto le fue más provechoso que una serie de sermones. Lo que vale el buen ejemplo!

El ejemplo de Arístides. Hacia el año 500 (antes de Jesucristo) gobernó en Atenas un hombre de una moralidad impresionante, llamado Arístides. Un día en plena discusión con su terrible adversario político llamado Temístocles, éste lleno de ira se le lanzó hacia él amenazándolo con los puños cerrados. Y Arístides le dio esta admirable respuesta: *"Pégueme, pero escúcheme"*. Después de 25 siglos, este ejemplo de moderación del gran

hombre sigue sirviendo de modelo de comportamiento para muchos políticos y no políticos. Porque no hay enseñanza que más se quede en la memoria que el comportamiento noble y sereno de una persona importante en un momento de injusta agresión. Son lecciones que jamás se olvidan.

Los micos y las cachuchas. El poeta Esopo contaba una fábula muy curiosa. Decía que un hombre iba hacia un pueblo a vender cachuchas y se acostó a dormir, debajo de un árbol, pero antes abrió el costal, sacó una cachucha y se la puso en la cabeza. Y sucedió que en las ramas del árbol estaban unos micos, los cuales hacen lo que ven hacer a los demás, y apenas notaron que el Hombre se había dormido, bajaron pasitico y cada uno sacó una cachucha del costal y se la puso sobre la cabeza, subiéndose rápidamente a las ramas otra vez. Cuando el hombre se despertó vio con horror que en el costal no había quedado ni siquiera una cachucha y al levantar la mirada vio la manada de micos, todos con cachucha, como soldados de un batallón. Desanimado ante tan enorme pérdida el hombre se quitó la cachucha que tenía en la cabeza y lleno de ira la lanzó contra el suelo. Y como los micos repiten lo que ven hacer, cada mico se quitó la cachucha y la lanzó hacia el suelo... con lo cual el hombre quedó muy satisfecho, porque pudo recuperar su mercancía. Y saca el fabulista esta conclusión: lo malo y lo bueno que nosotros hacemos, será imitado por otros. Así que no nos conviene hacer sino lo bueno, porque ese buen ejemplo repercutirá en buenas acciones que los demás sentirán también deseos de repetir.

Predicadores de alegría. Los santos se propusieron enseñar a las gentes a vivir alegres, pero no sólo enseñaron con sus palabras, sino sobre todo con el buen ejemplo de su comportamiento siempre alegre y jovial. La muchachas que observaban a *Santa*

Teresa sentían el santo deseo de imitarla porque la veían siempre tan alegre, tan risueña, tan simpática en el trato. Algo parecido sucedía con *San Juan Bosco*: con su comportamiento tan lleno de alegría y de jovialidad a toda hora, suscitaba entre los jóvenes un sincero deseo de ser como él, porque lo notaban tan feliz de la vida (a pesar de que tanto para él como para Santa Teresa, la vida fue dura y dolorosa, pero ambos ocultaban sus penas interiores con una muralla exterior de sonrisas y de alegría). Hablando del gran místico *San Juan de la Cruz,* dice Santa Teresa: "Ayer vi a Fray Juan de la Cruz, *y estaba alegre y sonriente como siempre"*. Qué hermosos buenos ejemplos de alegría sabían dar los santos. ¡Ojalá los imitáramos en esto!

El sermón de San Francisco. Es notable y requeteconocido el ejemplo de San Francisco de Asís, el día que le propuso a otro santo fraile: *"Vayamos a predicar a la ciudad"*. Y se fueron los dos, descalzos, con las manos juntas, con el rostro alegre y risueño, con la mirada recogida y rezando en silencio. Después de atravesar la ciudad a pie, de lado a lado, al volver al convento, el frailecito le dijo: "Hermano Francisco me dijo que íbamos a predicar, pero, ¿por qué no lo hicimos?" -Y el santo le respondió: Ya predicamos hermano. Hemos predicado con el buen ejemplo. Nos han visto recogidos y contentos, piadosos y pobres, con el alma alegre y el cuerpo bien mortificado. Eso les puede servir de buen sermón, ¿Cuántos y cuántas querrán predicar de hoy en adelante con su buen comportamiento?

El consejo de San Pablo. El gran apóstol, escribiendo a su discípulo preferido, Timoteo, le da un consejo que seguramente lo quiere Dios para cada uno de nosotros. Dice así: *"Procure ser modelo de buen ejemplo para la gente en sus palabras, en sus comportamientos, en su caridad para con todos. Que su progreso* *en la virtud sea manifiesto y notorio* (1 Tim. 4,12). Son palabras inspiradas por Dios que debemos repasar, y acerca de las cuales conviene hacer de vez en cuando un ligero examen de conciencia preguntándonos: "¿Qué dirán los demás de mi modo de portarme? ¿Qué opinarán de mi manera de hablar? ¿En verdad mi caridad es edificante para los demás?".

La gente vive de imitaciones. Sólo en el cielo sabremos los provechosos efectos que el buen ejemplo nuestro ha producido. El buen ejemplo, puro y sin afanes de aparecer como santos ni como personas especiales, está muy por encima de cualquier otra manera de hacer el bien a otra persona (Max Sheller).

La gente tiene *mal oído* para escuchar los consejos que les damos, pero *muy buena vista* para observar los ejemplos que les presentamos.

El beato Escrivá repetía esta bellísima recomendación: "que nuestro comportamiento y nuestra conversación sean de tal manera edificantes, que la gente al oírnos y al vernos actuar pueda decir: "se nota que ha leído la vida de Jesucristo".

No damos buen ejemplo para aparecer. Esto sería una nueva clase de orgullo y de vanidad. Pero sí debemos imitar al padre Foucauld que tenía por lema: *"Predicar el evangelio, por medio de los ejemplos de nuestra vida"*. Queremos predicar con el buen ejemplo y obtener así que otros se muevan a amar más a Dios y a tratar de agradarle y obedecerle. Para algunas personas nuestro buen ejemplo será el único sermón que reciben. Algunos laicos dicen: *"Si yo pudiera predicar"*. ¡Pero es que el mejor sermón es el buen ejemplo!

El ejemplo de Eleázar. En el Antiguo Testamento hay un hecho impresionante. Le sucedió a un santo anciano llamado Eleázar, estimadísimo por la gente por su gran sabiduría y sus admirables comportamientos. Pero salió un decreto del impío rey Antíoco prohibiendo cumplir las leyes que Moisés dejó en la Biblia, y esto bajo pena de muerte. Muchos cobardes prefirieron desobedecer a Dios con tal de tener contento al gobernante. Pero Eleázar se mantuvo firme en el cumplimiento de sus deberes religiosos. Entonces llegaron los delegados del gobierno y le hicieron esta propuesta: "aparente externamente que hace algo que va contra la Ley de Moisés. Pero en realidad no lo haga. Es sólo por apariencia. Y así salvará su vida". Y aquel noble anciano respondió: *"¿Y qué dirán los jóvenes?"* ¿Que un anciano como yo prefirió desobedecer las leyes de Dios, con tal de conservar su vida? Eso jamás. Aun externamente tengo qué darles a los demás el buen ejemplo de cumplir siempre las leyes de Nuestro Señor". -Y lo mataron de una manera terriblemente cruel, pero su ejemplo ha quedado como una lección para todos los siglos: *preferir cualquier pérdida o dolor, con tal de no dar mal ejemplo,* y con tal de ser siempre de buen ejemplo para los demás.

Me preguntaré de vez en cuando: *"¿Soy digno de imitación?"* Muchos me ven y me oyen. ¿Soy digno de ser imitado?

Los libros mejores no son los de papel, sino los buenos ejemplos que continuamente estamos dando o recibiendo. Aunque no se piense en ello, los ejemplos de los mayores trazan surcos profundos en la vida de los menores. Que puedan decir de cada uno de nosotros lo que dijeron de San Juan Bosco: "Más me impresionaba observar sus buenos comportamientos, que leer cualquier piadoso libro». Que Dios nos conceda esa gracia maravillosa!

EJEMPLO LES HE DADO: PARA QUE HAGAN LO MISMO QUE YO HE HECHO

- 11 -
¿QUIERE SER FELIZ?

AME AL PROJIMO

El Martes Santo por la tarde Jesús subió al Monte de los Olivos, después de haber salido por última vez del templo de Jerusalem para no volver a entrar ya nunca en él, y sentado de frente a la ciudad, les contó a los apóstoles cómo va a ser el Juicio Final. Es una descripción impresionante que está narrada en el Capítulo 25 del evangelio de San Mateo. Y allí anuncia el Señor que en la hora final reunirá a todos los habitantes que ha tenido el mundo y los dividirá en dos grandes grupos: a su derecha los que van a ir al cielo, y a la izquierda los que se van a la condenación. Y vuelto hacia los que están a su derecha les dirá: *"Vengan benditos de mi Padre a gozar del Reino preparado desde el principio de los siglos, porque tuve hambre y me dieron de comer, tuve sed y me dieron de beber; era pobre y me regalaron vestidos; estaba preso y me socorrieron; estaba enfermo y me fueron a consolar".* (¿A cuál de los dos lados estaremos en ese día? ¿A la derecha o la izquierda?).

Y la gente le preguntará: «Señor»: "¿cuándo lo vimos con hambre y le dimos de comer? ¿Cuándo lo vimos enfermo y lo fuimos a visitar? ¿Cuándo lo vimos pobre o preso y lo socorrimos?" Y Jesús les responderá: *"Todas las veces que lo hicieron con uno de estos humildes, conmigo lo hicieron"* (Mat. 25,40). Lo cual equivale a decir que todo favor que hacemos al prójimo, aunque sea el más humilde, lo recibe Jesucristo como si se lo hubiéramos hecho a El mismo en persona, y como tal lo pagará generosamente.

Esta promesa de Nuestro Señor ha movido a miles y millones de personas durante 20 siglos a dedicarse con toda la generosidad posible a ayudar a los necesitados, porque saben que el favor que le hacen a otro ser humano lo recibe el Redentor como si se lo hubiéramos hecho a El en persona.

No puede haber exageración. Cuando alguien le criticó a San Francisco de Sales diciéndole que era demasiado atento y generoso con toda clase de personas, aun con gente muy miserable y desagradecida, el santo le respondió: -"Es que toda demostración de aprecio y caridad que yo le hago a un ser humano, lo recibe Cristo como si se lo hubiera hecho a El mismo; y a Cristo nunca se le tratará demasiado bien".

Fórmula para ser feliz. Después de que Jesús el Jueves Santo les lavó los pies a los apóstoles, les dijo: *"Serán felices si hacen esto"* (Jn. 13,17). Y cuando Cristo dice que seremos felices, es que en verdad sí lo vamos a ser. Pero ¿en qué consiste el lavar los pies a los demás? Pues en hacerles pequeños favores humildes y sencillos, pero que algo nos cuesten y que les demuestren nuestro aprecio y cariño. Por ej. las pequeñas atenciones, la sonrisa o saludo de amigo que consuela, el prestarles algo que necesitan, el reemplazar a otro en un oficio, el hacer un mandado o llevar un recado, el colaborar en un trabajo que otros están llevando a cabo, el hacer pequeños regalos etc. etc.

El recuerdo de uno que se despide

Las últimas palabras del que se va o del que se muere son siempre muy recordadas y estimadas. Jesús en la noche de la Ultima Cena, en la noche de su despedida dijo: *"Les doy un nuevo mandamiento: que se amen los unos a los otros, como yo los he amado. En esto se conocerá que son mis discípulos: en que se aman los unos a los otros"* (Jn. 13,34).

En esto conocerán que son mis discípulos. ¿En qué? ¿En que tienen lindos templos? ¿En que ayunan? No: en que se aman unos a otros.

Este es mi mandamiento: que se amen unos a otros (Jn. 15,17). No dice que es un mandamiento de Moisés ni de ningún otro, sino MI mandamiento. Como quien dice: esto es supremamente importante, tan importante, que lo considero como un mandamiento dado por mí mismo en persona.

Les doy un mandamiento nuevo: que se amen unos a otros (Jn. 13,34). San Agustín se pregunta: -¿Por qué dice que es un mandamiento nuevo, si ese mandamiento ya se había dado en el Antiguo Testamento, cuando Dios mandó *"Amen al prójimo como*

PARA SER BUEN EDUCADOR HAY QUE PEDIR CADA DIA, AL ESPIRITU SANTO EL DON DE LA SIMPATIA

a sí mismo?", y responde: es que aquí lo nuevo está en que hay qué amar a los demás como Cristo nos ha amado a nosotros.

¿Y cómo nos ha amado Cristo?

El amor que Cristo nos ha tenido tiene unas cualidades muy especiales que conviene recordar.

Es un amor sacrificado. Le costamos muy caros. En verdad que el amarnos le costó muy alto precio: vivir una vida llena de incomodidades, pobreza e incomprensiones, y con un trabajo fatigoso y agotador, y morir de la muerte más dolorosa que ha existido. Un amor que no impone sacrificios en favor de la persona que se ama, no es amor semejante al que Cristo ha tenido por nosotros. ¿Puedo decir que mi amor a los demás me cuesta algún sacrificio?

Es un amor espiritual. Jesús no nos ama porque somos simpáticos o atractivos (que eso sería un amor simplemente natural o sensual o interesado) sino porque desea hacer un gran bien a nuestra alma. Su amor no se reduce a este cuerpo que se nos va a morir, sino sobre todo se dirige a nuestra alma que no morirá jamás. Y lo que busca con su amor es hacernos el mayor bien espiritual posible. Y así tiene que ser nuestro amor hacia los demás.

Si sólo es amor al cuerpo, es amor sensual. Si sólo es amor porque la otra persona es simpatica o nos puede recompensar, es un amor interesado. Si sólo buscamos ayudar en la vida material, es un amor simplemente terrenal, pero si lo que buscamos es hacerle a la otra persona el mayor bien espiritual posible, entonces sí nuestro amor es como el de Cristo: amor espiritual. (¿Será así mi amor a los demás?).

Es un amor perdonador. Mientras lo crucifican grita: *"Padre, perdónalos, porque no saben lo que hacen"*. Si no perdonamos a los que nos ofenden y no rezamos por los que nos han hecho sufrir, nuestro amor no es como el de Cristo hacia nosotros. Pero si perdonamos y rezamos por nuestros ofensores, entonces sí estamos amando a los otros como Cristo nos ama a nosotros.

Es un amor que concede más bienes de los que le piden. Un paralítico le pidió la salud del cuerpo y Jesús le concedió además el perdón de los pecados, que es mucho más importante. El ladrón de la cruz le pidió que se acordara de él, y Jesús se lo llevó esa misma tarde al Paraíso. ¿Será así nuestro amor a los demás? ¿O tendrán qué pedirnos el doble de lo que desean que les concedamos, porque ya saben los "descuentos" que nuestra tacañería va a hacer a las peticiones que nos hacen? Cuanto más generosos seamos en dar y ayudar, más se asemejará nuestro amor al prójimo al amor de Jesús por nosotros.

Es un amor que se adelanta a hacer favores antes de que se los pidan. Jesús multiplicó los panes sin que nadie se atreviera a pedirle ese favor tan grande. Cuando se encontró con que iban a enterrar al hijo único de la viuda de Naim, lo resucitó sin que la mamá se atreviera ni siquiera a suplicarle semejante milagro tan admirable. Resucitó a Lázaro sin que a sus dos hermanas se les ocurriera pedirle la resurrección. ¿Cuántos favores hago yo sin esperar a que el otro tenga qué pasar por la humillación de pedírmelos? ¿Cuántas veces me anticipo a adivinar lo que los demás necesitan y les doy gusto? ¿Tienen qué rogarme y recordarme continuamente para que les ayude? ¿Me quiero asemejar a Cristo también en adelantarme a hacer favores antes de que me los pidan?

Es un amor amable y manso. El evangelio dice que en Jesús se cumplió lo que había anunciado el profeta: *"No grita, no alega, no discute, no humilla. A la lámpara medio apagada no la acaba de apagar, y a la caña medio partida no la acaba de partir* (Mat. 12,20). Oh, si en esto imitáramos también a Jesús seríamos santos y haríamos mucho más feliz la vida de los que tratan con nosotros. Pero en cambio: cuánto mal genio! Cuántas palabrotas y asperezas! Cómo necesitamos repetirle muchas veces aquella bella oración: "Jesús: manso y humilde de corazón, haz nuestro corazón, semejante al tuyo".

Es un amor que reza por los amigos y... por los enemigos

La S. Biblia trae una noticia inmensamente consoladora. Dice que Jesús *"está continuamente en el cielo, intercediendo por nosotros"* (Hebr. 7,25). Cuando a Pedro le avisó que Satanás había pedido permiso para atacarlo, le anunció también: *"Yo he rogado por ti para que tu fe no desfallezca"* (Lc. 22,32). Preguntémonos: ¿qué tanto rezamos nosotros por los demás? ¿Cuánto rezamos por nuestros amigos y familiares, por los sacerdotes, por la conversión de los pecadores? Quizá ningún otro favor más provechoso les podemos hacer ni ningún regalo más precioso les podemos ofrecer que rezar por ellos. San Agustín decía: *"No me digas que amas a los demás, si no rezas por ellos.* Si en tu oración no los encomiendas, no le creo mucho a ese tu amor hacia ellos".

Cuanto más se parezca y se asemeje nuestro amor al de Jesucristo, mayor será nuestra perfección y más alto nuestro puesto en el cielo. Examinemos de vez en cuando el amor que tenemos y sentimos hacia los demás, comparémoslo con el que Jesús ha tenido hacia nosotros y pongámosle la calificación debida a nuestro modo de amar, o por lo menos tratemos de mejorarlo para que logre parecerse un poco más al de Nuestro buen Redentor.

El caso Schweitzer. Este señor era un médico y pianista europeo que un día oyó leer la parábola del rico epulón, en la cual Jesús cuenta cómo un hombre rico se fue al infierno por no haber querido ayudar al pobre Lázaro (Luc. 16) y esta noticia le impresionó tanto que dejó sus comodidades en Europa y se fue a atender en el Africa a los leprosos más pobres y abandonados. Cada año volvía a su país y ofrecía conciertos de piano en grandes teatros y al final subía al

escenario y recordaba a los asistentes la parábola del rico epulón y el pobre Lázaro y los invitaba a librarse de los castigos de Dios siendo generosos con los pobres. Luego pasaba por entre el auditorio recogiendo las ayudas que le quisieran ofrecer, y con esto levantó y sostuvo un hospital para leprosos en las selvas africanas. Schweitzer ganó el premio Nobel de la Paz, y su nombre ha quedado como símbolo de alguien que se dio cuenta a tiempo que si no se dedicaba a ayudar a los necesitados no tendría la bendición de Dios. *Cuánto nos aprovecharía a nosotros repasar de vez en cuando en la memoria el caso del rico epulón y el pobre Lázaro* y preguntarnos si no estaremos procediendo como ese egoísta que comía bien, vestía con lujo, y no ayudaba al pobre que estaba allí junto a su puerta y se fue por ello al infierno. Es algo digno de ser meditado!

San Francisco dice en su testamento: *"La caridad borra multitud de pecados.* Recordemos que al morir no nos llevaremos nada de lo que aquí hemos dejado, sino sólo lo que hemos repartido. *Todo lo que al morir no hemos dado, se ha perdido".* ¡Qué gran verdad!

San Juan insiste en sus cartas en que nuestro amor hacia los demás debe ser "*amor de buenas obras y no sólo amor de palabras y de lengua*" (1 Jn. 3,18). La caridad se mide por los sacrificios que tenemos qué hacer en favor de los que amamos. Si sólo buscamos estar bien y no nos sacrificamos por los demás,

AGRADAMOS POR LAS CUALIDADES QUE TENEMOS; PERO NOS HACEMOS AMAR POR LOS FAVORES QUE PRESTAMOS lo único que estamos buscando es satisfacer nuestro egoísmo. *Y el enemigo número uno de la caridad es el egoísmo.*

La caridad se demuestra en los buenos modales y la buena educación. San Francisco de Sales decía que para el cristiano debe haber *un octavo sacramento: la urbanidad,* ser bien educados en nuestro trato con los otros, siempre y con todos y en toda ocasión. Ser amable es fácil en teoría, pero difícil en la práctica, porque la gente es antipática y cansona y agota pronto nuestra paciencia. Decir: "voy a ser amable con todos" es cosa fácil. Pero serlo en la vida diaria eso sí que ya es cuesta arriba porque para lograrlo es necesario negarse a sí mismo y obrar contra nuestro egoísmo, y malgenio. Por eso es que el propósito de ser amables y bondadosos y bien educados tiene que ser algo que renovemos todos los días, y acerca de lo cual no dejemos un sólo día de examinarnos, no sea que si nos descuidamos empecemos a ser duros, groseros, fríos y maleducados. Y eso mata la caridad.

Hay que permitir a los demás que sean buenos con nosotros. Nos resulta antipático el ser amados sin "¿por qué? -Pero es que el verdadero amor es así: ama no porque la otra persona es simpática o se le merece, o atrae, sino sencillamente por una sola razón: porque quien ama tiene un corazón bueno que sabe amar. Así es el amor de Dios. No nos ama porque nosotros somos buenos (que no lo somos) ni porque somos simpáticos (cada cual sabe lo antipático que es en su interior por sus maldades) ni porque le vamos a hacer favores (que ni los necesita, ni se los podemos hacer) Dios nos ama por una sencilla razón: porque El es bueno, porque le encanta amar. Porque Dios es Amor, y ama sin cansarse nunca de amar, aunque aquellos a quienes tanto ama nos mostremos desagradecidos, fríos e ingratos con El. Qué bello que nuestro amor al prójimo fuera como el que Dios tiene hacia nosotros: amar no porque el otro se lo merece, sino porque nuestro corazón es bueno y sabe amar generosamente.

Una señal segura. La Carta más bella que se ha escrito acerca del amor es la Primera Carta del Apóstol San Juan. Allí se dicen frases impresionantes acerca del amor al prójimo. Nos dice que *si alguien afirma que ama a Dios, pero no ama al prójimo, está mintiendo,* porque si no ama al prójimo a quien ve, ¿cómo va amar a Dios a quien no ve? Y añade: *"Si nos amamos unos a otros, Dios permanece con nosotros.* Este mandamiento hemos recibido: que quien ama a Dios, ame también a su prójimo". Y trae esta afirmación: *"Nosotros sabemos que hemos pasado de la muerte a la vida, porque amamos a los demás. Quien no ama, permanece en la muerte".* Sería interesante averiguar si en nuestra vida existe esa "señal" de que sí hemos pasado de la muerte a la vida y de que no permanecemos en la muerte espiritual. La señal según el apóstol es "que amemos a los demás". Cuando suene la trompeta para el Juicio Final y salgamos de nuestro sepulcro, ¿dónde seremos colocados? ¿A la izquierda con los que no amaron ni ayudaron, o a la derecha con quienes se dedicaron a amar y ayudar? Todavía podemos ir consiguiendo un puesto a la derecha de Cristo, amando de obras y de verdad.

UN GRAN LEMA PARA TODOS

EN VIDA, HERMANO, EN VIDA:

Si desea hacer feliz a alguien que quiere mucho,
Trátele bien desde hoy y sea muy amable con él.
No lo deje para más tarde. Empiece ya desde hoy.

En vida, hermano ¡En vida!

No espere a que se mueran para demostrar que los ama.
Si desea dar una flor, mándela hoy mismo con amor.
Demuéstreles su cariño desde ahora mismo.

En vida, hermano ¡En vida!

Si desea decir: "Los quiero, "los estimo",
a la gente de su casa, al amigo lejano o cercano.
No lo deje para más tarde, empiece a hacerlo ya.

En vida, hermano ¡En vida!

No espere a que se muera la gente para apreciarla
y hacerle sentir su afecto. Hágalo ya desde hoy.
Trate a todos como desearía ser tratado por ellos.

En vida, hermano ¡En vida!

Si quiere ser más feliz y recibir más amor
aprenda a hacer felices a los demás, desde ahora.
Demuestre aprecio a todos los que tiene que tratar.

En vida, hermano ¡En vida!

No sólo visitar panteones de difuntos
y llenar tumbas de flores y suspiros.
Hay que llenar de amor los corazones.
Y esto ya desde este día de hoy y para siempre.

Y DIOS LE PAGARÁ PARA SIEMPRE EN LA ETERNIDAD

- 12 -

¿QUIERE SER FELIZ?

AUMENTE SU FE

La causa de tantos fracasos

Cuando Jesús bajó del Monte Tabor, después de la transfiguración, se encontró con que sus apóstoles, habían tratado en vano de sacarle el mal espíritu a un muchacho y no lo habían logrado. Ante la presencia de Cristo el espíritu malo dio una tremenda sacudida al joven y se fue, dejándolo libre. Entonces los apóstoles le preguntaron: "Señor, ¿por qué nosotros no fuimos capaces de echar ese mal espíritu? Y Jesús les respondió: «Por su poca fe. Por su falta de fe». Y añadió: "Yo les aseguro que si tuvieran fe aunque fuera tan pequeña como un granito de mostaza le mandarían a este monte que se fuera de aquí y se lanzara al mar, y les obedecería y *ya nada les sería imposible"* (Mat. 17,21).

Si preguntáramos hoy a Cristo Jesús cuál es la causa de que no hayamos logrado alejar de nosotros tantos malos espíritus (de orgullo, avaricia, tristeza, impureza, pereza, ira e impiedad etc.) nos daría la misma respuesta: *"La causa es su poca fe, su falta de fe".*

Triste constatación

A la directora de un colegio le oímos decir: "Yo en otros tiempos cuando veía en un libro un capítulo acerca de la fe, me lo saltaba porque me decía: "Yo ya tengo fe". Pero vine a darme cuenta de que mi fe era tan poquita y tan chiquitica y raquítica, que ahora cuando veo en un libro un capítulo que hable de la fe, ese es el primer capítulo que leo.

Y a un sacerdote, gran apóstol de la juventud pobre, le escuchamos esta afirmación: "En mis primeros años de sacerdocio no predicaba acerca de la fe porque me decía: "Si ya la gente tiene fe, ¿para qué predicarles acerca de eso?" -pero la experiencia ha venido a convencerme de que *la fe es tan pequeña y tan fría, que si no se les habla mucho de ella y no se les enseña a cultivarla y hacerla crecer,* no progresarán nunca en santidad ni conseguirán verdaderos frutos de apostolado.

Falla antigua. Cuando Jesús fue a Nazaret después de haber empezado su vida pública, dice el evangelio que *"se quedó admirado de su falta de fe"* y que *"por eso no pudo hacer milagros allí"* (Marc. 6). Esta triste conclusión la saca cada día Nuestro

Señor acerca de nosotros: se queda no sólo admirado, sino "desilusionado" por nuestra falta de fe, y por lo tanto no puede obrar milagros en nuestro favor. ¡Qué lástima!

Un regaño y una noticia. Algo que el Redentor tuvo qué echarles en cara muy frecuentemente a sus apóstoles fue su falta de fe. Pero ellos en vez de disgustarse le respondían con una bella oración: *Señor: auméntanos la fe".* Y Jesús en respuesta a semejante plegaria les recordaba una bella noticia: *"Si tuvieran fe, aunque fuera tan pequeña como un granito de mostaza ya nada les sería imposible".* Jesús no pide una fe grande porque sabe que no somos capaces de poseerla, pero se contenta con que nuestra fe sea siquiera como un pequeñito grano de mostaza. Ojalá la lográramos conseguir. Pero lo malo es que ni siquiera de ese pequeño tamaño es la fe que tenemos.

Una condición sin la cual nada. Cuando alguien le pedía un milagro a nuestro Salvador, El respondía: *"Según sea su fe, así serán las cosas que le sucederán. Que le suceda según su fe".* Y esa sigue siendo siempre la condición que pone Dios para concedernos muchas cosas que necesitamos. Y entre más grande sea nuestra fe, mayores serán las ayudas que conseguiremos del cielo.

¿COMO AUMENTAR LA FE?

El famoso escritor Fray Luis de Granada decía que con las virtudes pasa como con las creaturas humanas: *para que crezcan hay qué alimentarlas.* Y él y muchos santos aconsejan *cuatro alimentos para hacer crecer la fe:* la oración, la Eucaristía, la lectura de la S.

Biblia y de otros libros piadosos, y el escuchar predicaciones religiosas. Y la experiencia de muchos siglos ha demostrado que estos cuatro alimentos espirituales hacen crecer notablemente la fe. Cuando oramos pidiéndola a Dios, se cumplirá siempre lo que Jesús anunció: *"Todo el que pide recibe"*. Cada vez que asistimos devotamente a la S. Misa o recibimos con las debidas disposiciones la Sagrada Comunión o visitamos a Jesucristo presente en la Hostia en los templos, o leemos algunas páginas de la Sagrada Escritura o de libros piadosos, y cada vez que escuchamos atentamente una predicación religiosa, probablemente progresa nuestra fe, aunque en ese momento no nos demos cuenta de ello. Su crecimiento será como el de todo ser vivo: no notorio a la vista cada vez, pero sí real y efectivo, si la alimentación que le brindamos es la que necesita.

Pero la fe se puede morir, o puede languidecer

De un gran literato de Suramérica se cuenta que era un buen creyente pero que leyó un libro del impío Renán, y desde entonces se le apagó casi totalmente la fe. Algo parecido o mucho peor les ha sucedido a quienes han visto ciertas películas indebidas. O escuchan a ciertos conferencistas incrédulos, o traban

amistades con gente impía. Muchas personas tuvieron una fe fervorosa en su niñez, pero dejaron de ir a la Misa y de comulgar y ya no visitaron a Jesús en los templos y no se tomaron la molestia de dedicar algún tiempo de vez en cuando a leer la S. Biblia o algún libro religioso, y a su fe le sucedió lo que a esas plantas de los jardines que dejan de ser regadas y se marchitan y se mueren. Y estos casos son muchísimo más frecuentes de lo que la gente se imagina. Si existiera un termómetro para medir la fe y lo colocáramos a ciertos individuos que no oyen sermones, ni leen buenos libros, ni van a misa, aunque ellos provengan de las familias más católicas, veríamos con horror que su fe marca cero grados, o quizás varios grados bajo cero. ¿Se estará muriendo nuestra fe por falta de alimento? ¿Estará raquítica y enana porque no leemos ni nos alimentamos con la Santa Eucaristía? A poner remedio a tiempo!

¿Y qué es la fe? Según la Sagrada Escritura la fe es *"plena seguridad de recibir lo que se espera y estar convencido de la realidad de las cosas que no vemos"* (Hebr. 11,1). Según el Catecismo la fe es creer lo que no vemos, pero que Dios ha revelado. Es tener como cierto algo, por el sólo hecho de que Dios lo ha dicho.

¿Por qué es tan importante tener fe?

Una cosa es importante según la importancia que Dios le dé. Y en la Sagrada Escritura se insiste en que Dios le concede enorme importancia a la fe y la premia de manera admirable. Así por ej. se dice en el Libro del Génesis que la fe de Abraham fue tan grande que le creyó a Dios ciertas promesas que él no veía ni entendía, ni le parecían siquiera probables, y esto le agradó tanto a Nuestro Señor que le concedió admirables premios.

De María Santísima dijo su prima Isabel: *"Dichosa Tú, porque has creído, pues se cumplirá en ti todo lo que ha prometido el Señor"* (Luc. 1,45) y en verdad que en María, por su gran fe, el Señor hizo maravillas y le concedió favores inmensos.

La fe produce resultados admirables

En el evangelio se cuenta el caso de un paralítico al cual Jesús le concedió la sanación *"porque vió la fe de los que lo llevaban"* (Mat. 9,2). Y a un ciego al devolverle la vista le dijo: *"Por tu fe has quedado curado"* (Luc. 18,42). Al concederle el perdón de sus pecados a una escandalosa pecadora, Jesús le dijo: *"Tu fe te ha salvado, vete en paz"* (Luc. 7,50). Y cuando una pobre Cananea le suplicó que librara a su hija de un mal espíritu, Cristo le dio esta bella respuesta: *"Mujer: grande es tu fe; que te suceda como deseas"*, y en ese momento quedó libre del mal espíritu aquella joven (Mat. 15,28). Por lo tanto en el mundo no hay negocio que produzca mejores resultados que tener una gran fe en Dios, en su Hijo Jesucristo, y en el poder de la oración confiada y perseverante. Millones de ejemplos lo demuestran.

Una noticia que causó sensación

Cuando en 1876 San Juan Bosco tuvo una visión celestial en la cual se le apareció su discípulo predilecto Santo Domingo Savio, acompañado de miles y miles de jóvenes que gozan en el Paraíso, el joven Savio le dijo: *"Mucho es lo que ha logrado conseguir hasta ahora, pero sería muchísimo más, mil veces más, lo que habría conseguido, si hubiera tenido mas fe"*. San Juan Bosco suspiró de emoción y se propuso pedir con más frecuencia al Señor que le aumentara la fe, y hacer muchos actos de fe cada día. Me pregunto: ¿no será para mí este mensaje llegado del cielo: "si tuviera más fe, habría logrado mil veces más de lo que he conseguido hasta ahora?". -Voy a repetir frecuentemente: *"Señor yo creo, pero aumenta mi fe"*. -Quién sabe cuántos triunfos espirituales y materiales me están aguardando, pero sólo esperan una condición para ser conseguidos: que yo tenga una fe mayor y mejor de la que ahora tengo. El Señor me ilumine cómo aumentar mi fe.

Fe muerta y fe viva. El apóstol Santiago anuncia que la fe tiene un peligro: que esté muerta por falta de buenas obras. Dice así: "*¿De qué sirve hermanos que alguno tenga fe, si no tiene buenas obras?* ¿De qué sirve a un pobre que sufre hambre y frío que alguno le diga: "Vaya, coma y abríguese", si no le da lo necesario para el cuerpo? *Así pasa con la fe: si no tiene buenas obras está muerta* (Sant. 2,14). Algo parecido decía el Papa Pablo VI: "Algunos son muy elocuentes para hacer buenas declaraciones, pero muy flojos para hacer buenas acciones. Ojalá que sus buenas acciones estuvieran de acuerdo con sus declaraciones". Y San Juan Crisóstomo anota: "Supongamos que alguien diga que cree en el cielo y en la vida eterna, pero vive como si solo existiera la vida de esta tierra! Que alguien diga que es muy conveniente dar limosnas y perdonar, pero ni perdona ni da limosnas. ¿A qué le creemos: a sus buenas declaraciones o a sus malas acciones? Muy bien hacer actos de fe, pero es necesario que con las buenas obras de nuestra vida apoyemos eso que declaramos creer".

Quien tiene fe, cree que Dios está presente

Una de las características por la cual se conoce a la persona que en verdad tiene fe, es porque cree que Dios está presente en todo lo que nosotros hacemos, decimos y pensamos. El bellísimo salmo 139 dice: "Señor, tú me observas y me conoces. Desde lejos penetras mis pensamientos. Todo lo que yo hago lo conoces perfectamente. No ha llegado la palabra a mi lengua y ya la sabes toda. ¿A dónde podré ir que no estés tú presente? Si voy hasta la más inmensa altura, allí estás Tú. Si desciendo al abismo más profundo, allá te encuentro. Si marcho hasta el extremo oriente, o hasta lo más lejano del occidente, ahí estás presente". Dios nos acompaña y nos rodea como la luz durante el día y como el aire, a todas horas y en todas partes, aunque no nos demos cuenta de su presencia. Está junto a nosotros sin causarnos molestias ni hacerse sentir sensiblemente, pero llenándonos de vida y de muy provechosas ayudas.

Una de las gracias que más hay qué pedir a Dios es sentir su santa presencia, el recordar que El está presente en todo lo que hacemos, pensamos y decimos. Porque no basta con sentir afecto hacia El, sino que es necesario también sentir temor reverencial hacia su Justicia Divina, y temor a disgustarlo (Laird).

Los coplistas antiguos repetían este canto:

Mira: que te está mirando.
Oye: que te está escuchando.
Observa: que te está observando.
¿Quién? El mismo Dios.

Todo lo que hacemos tiene *dos testigos*: Dios y nuestra conciencia.

Una experiencia. Se ha comprobado que aún los mejores trabajadores cuando se dan cuenta de que los están observando y que su trabajo será calificado, rinden más y hacen mejor su labor. Por eso el creyente, al leer aquella verdad de la Biblia que dice: *"Los ojos de Dios están en todas partes, observando a los buenos y a los malos"* (Prov. 15,3) y al recordar una noticia repetida siete veces en el Libro Santo, *"Dios dará a cada cual según hayan sido sus obras"*, siente un fuerte impulso a comportarse mejor, a llenarse más de obras buenas y a evitar lo que ofende a Nuestro Señor. Esta es una de las mejores ventajas de pensar con fe en la presencia de Dios. Por eso un experto director de espíritus recomendaba repetir muchas veces: "Creo que Dios me está mirando y me está escuchando y que cada día pone calificaciones a mis comportamientos. Y que de esto dependerá en gran parte mi sentencia final".

Santa Teresa decía: "Si durante un año nos dedicáramos cada día a pensar que Dios nos está mirando y nos está escuchando, haríamos grandes progresos en la perfección".

¿Cómo me comportaría ante tres grandes personajes que me estuvieran observando? Pues el Padre, el Hijo y el Espíritu Santo me observan 24 horas cada día y 60 minutos cada hora. ¿Cómo me comportaré de ahora en adelante en su presencia?

Lo que es la fe. San Pablo nombra 144 veces la fe y San Juan 98 veces. Para San Pablo tener fe es la actitud base, fundamental para todo cristiano. Para San Juan el objeto de predicar el evangelio es obtener que creamos en Jesucristo y en lo que El enseñó. FE en el idioma del Antiguo Testamento se dice con dos palabras: *Aman,* que significa: *estoy seguro. Es cierto: así es.* (De ahí viene la palabra Amén) y *Batan: que significa confío en que así será. No puede ser de otra manera.* (Que es lo que nosotros queremos significar al decir Amén. Así es, así será, estoy totalmente de acuerdo...).

El milagro más difícil. Preguntaron a un santo cuál es el milagro más difícil de conseguir, y él respondió: "*El milagro más difícil de conseguir es que la persona tenga fe.* Una vez que tengan fe, ya todos los demás milagros vendrán por añadidura. « Y añadió : "La fe no se consigue con técnicas, la fe se consigue pidiéndola a Nuestro Señor, y escuchando con fervor la Palabra de Dios. La fe no se fabrica. La fe se suplica".

PENSAMIENTOS ACERCA DE LA FE

En una encuesta preguntaron: ¿qué cualidad muy especial desea la gente que tengan los que se dedican al apostolado? Y la respuesta que más votos obtuvo fue esta: *"Que sean personas de mucha fe"*.

*** Si el mundo anda tan mal, ello se debe a que hay demasiada gente que razona y muy poca que cree (P. Chevrier).

*** Lleven siempre el escudo de la fe, para que puedan detener los dardos que les envía el enemigo de las almas" (San Pablo a los Efesios 6,16).

*** *Esta es la victoria que vence al mundo: nuestra fe"* San Juan I, 5,4).

*** Un santo decía: "No importa cuán grande sea el problema, lo que interesa es qué tan grande es mi fe en Dios. Una gran fe puede provenir de grandes problemas, así como las grandes victorias, provienen de grandes conflictos. Los que tuvieron gran fe, obtuvieron grandes triunfos".

*** Hablamos con los miedosos y dicen: "¿Dónde encontrar pan para tanta gente?". En cambio hablamos con los "atrevidos en la fe" y dicen: "Aquí hay cinco panes y dos peces. Presentémosle esto a Jesús, que con este poquito El puede hacer un gran milagro". ¿A cuál de estos dos grupos pertenezco yo? Jesús dice: "Dame los pocos panes que tienes. De lo demás me encargo yo». ¿Se los daremos? ¿Confiaremos en su capacidad de seguir haciendo milagros? (Cho).

*** Aunque todo parezca oscuro y tenebroso en la tierra, no se nos olvide que detrás de las nubes sigue brillando el sol.

*** Abraham a los 25 años pidió con fe un hijo y Dios se lo concedió a los 100 años. Dios no tiene afán en manifestar demasiado rápido su poder.

*** La gente puede poner muchas excusas para decir que no serán posibles los milagros. Pero el Espíritu Santo sigue obrando milagros en favor de quienes tienen fe.

*** Nadie se vaya a imaginar que por tener fe no va a tener problemas. Abraham los tuvo por muchos años. Jacob por más de 50. José por más de 13. Moisés por 40 años. Y Jesús y sus discípulos soportaron pruebas y tentaciones. Porque Dios pone a prueba la fe de sus amigos. El no ha prometido a nadie que la vida será un camino lleno de rosas sin espinas. Dios no se ha ido lejos. Sigue ahí actuando al lado de nosotros, pero deja que sus seguidores tengan fuertes luchas y grandes dificultades, y así se les fortalece la fe y ganan más premios para la eternidad.

*** Dios espera hasta el último momento para llegar con su ayuda, y puede ser que sólo llegue en el último vagón del último tren, pero llega. Creamos en milagros y obtendremos milagros. Dios no pierde batallas. No andemos con espíritu de derrota porque entonces no llegan los milagros. Para negociar con alguien hay qué ponerse de acuerdo con él acerca de las condiciones. Y la condición que Dios exige para darnos sus ganancias es que tengamos fe en El. Que creamos que *"Dios tiene poder y bondad para darnos mucho más de lo que nos atrevemos a pedir o a desear"* (Efes. 3,20). Para hacer compañía con Dios hay que creer que El sí va a actuar en nuestro favor (Pujol).

Señor: que mi fe de hoy sea más grande que la de ayer

Todo ser humano, si tiene fe, puede obtener las maravillas que otros han conseguido (P. García Herreros).

- 13 -

¿QUIERE SER FELIZ?

CONFIE EN DIOS

Una estadística interesante

Un investigador bíblico hizo la cuenta de las veces que el Antiguo Testamento encomienda confiar en Dios y obtuvo estos datos: "Los salmos recomiendan 33 veces la confianza en Dios. Los proverbios la recomiendan 7 veces, el profeta Isaías la recomienda 14 veces y el profeta Jeremías 6. El salmo 84 termina con estas bellas palabras: *"Oh Señor Dios: dichoso el que confía en Ti"*. Y en verdad que la persona que pone toda su confianza en Dios, goza de paz y de una dicha que no conocen los que no confían en el Señor.

La causa de tantos afanes. El sicólogo de fama mundial, Dr. Blanton, tenía en la mesa de su consultorio en Nueva York esta frase picante: *"¿Para qué confiar en Dios, si en vez de eso puedo atormentarme preocupándome sin cesar?"* - y hacía esta afirmación: "Una gran parte de nuestros afanes y sustos desaparecerían o por lo menos disminuirían notablemente si tuviéramos más confianza en Dios. Muchísimas de las angustias que atormentan exageradamente a la gente se deben a que no se tiene la suficiente confianza en lo que Dios puede y quiere hacer en favor de los que le rezan con fe". Y eso lo ha dicho un especialista de tanta fama, que para conseguir una consulta con él había qué pedir turno con meses de anticipación. Y por algo lo diría después de tantos años de estar ayudando a la gente a resolver sus problemas de angustias.

Un mensaje del cielo. Cuando en 1675 Jesucristo se le apareció a Santa Margarita Alacoque para pedirle que propagara la devoción al Sagrado Corazón de Jesús, le dijo estas consoladoras palabras, que seguramente fueron dichas también para cada uno de nosotros: *"Si quieres agradarme, confía en Mi. Si quieres agradarme inmensamente, confía inmensamente en Mí"*. Con razón después de haber conocido que un modo muy fácil de agradar a Jesucristo es confiar en El, la gente se ha acostumbrado a repetir frecuentemente aquella popular oración que dice: "Sagrado Corazón de Jesús, en Vos confío".

Una bendición y una maldición. Hay un pasaje del profeta Jeremías que se ha hecho mundialmente famoso porque trae una noticia muy aterradora, pero otra noticia verdaderamente consoladora. Está en Jeremías, capítulo 17. La noticia aterradora es la siguiente:

"Así dice Dios: *"Maldito el que pone su confianza en el ser humano, y se apoya únicamente en lo que es carne y materialidad y aparta de Dios su corazón y deja de confiar en El, Será como un pobre matorral plantado en el desierto, que se seca porque no recibe lluvias.*

Y enseguida comunica la noticia consoladora:

"Así dice el Señor: "bendito quien confía en Dios, y pone en el Señor toda su confianza. Será como un árbol plantado junto a un río, que alimenta sus raíces en las aguas, y en tiempo de verano y de sequía no se seca, y no deja de dar fruto, y sus hojas permanecen siempre verdes".

Ahí están los retratos de las dos clases de personas que hay en el mundo. Unas ponen su confianza sólo en seres humanos y se marchitan como chamizos en el desierto cuando llegan los calores y la sequedad. Otras en cambio ponen toda su confianza en Dios, y aunque lleguen tiempos difíciles y horas amargas, sus raíces se siguen nutriendo de las ayudas divinas y ninguna angustia ni ningún problema les logra hacer desfallecer.

Una temible maldición. La gente tiene temor a la maldición de otra persona. La maldición de una madre es temible. (Pero no tiene efecto si no es muy merecida). La maldición de un sacerdote es todavía más terrible. Pero la maldición de Dios ¡Qué temible será! Y por medio del profeta dice Dios: "Maldito quien ponga toda su confianza en seres humanos y no en Dios". Es una maldición de la cual debemos huir como de una fiera enfurecida o de un fuego devastador. Y es que poner la confianza en la ayuda de las creaturas solamente, es arar en el mar y sembrar en el viento. Todo un Presidente de la nación puede desaparecer de un momento a otro. Una creatura por poderosa que sea nos puede fallar en el momento menos pensado y dejarnos como matorral en el desierto en tiempo de verano: marchitos y sin fuerzas. Por eso dice el salmo: *No pongan su confianza en los seres de polvo que no pueden salvar"*

Pero existe una bendición consoladora. "Bendito quien pone toda su confianza en Dios. Será como árbol plantado junto a las aguas".

Pueden fallarnos todas las demás ayudas, pero desde que Dios esté de nuestra parte podremos repetir con San Pablo: "*¿Si Dios está con nosotros, quién podrá contra nosotros?*".

LOS OBSTACULOS QUE SE OPONEN A QUE CONFIEMOS EN DIOS

Hay cinco obstáculos especiales que tratan de impedirnos el confiar en Dios.

1o. ***La mentalidad tremendista judía*** que tiene a Dios solamente como un Juez terrible que únicamente busca faltas para castigar y que, como en el Sinaí, despide rayos y relámpagos. Contraria a ésta es la *mentalidad cristiana* que ve en Dios sí un Juez que pagará a cada cual según hayan sido sus obras, pero sobre todo ve en El al Padre bondadoso que sale al encuentro del hijo pródigo para aceptarlo otra vez en su casa; al Buen Pastor que va en busca de la oveja perdida para traerla a su rebaño. Que recuerda que Jesús no vino a buscar santos sino pecadores, y que siendo el Médico Divino anda siempre en busca de los que tenemos enferma el alma.

Jesús, para que le tengamos confianza se vino del cielo y siendo el ser más rico que existe, se hizo el más pobre en este mundo y se despojó de los brillos de su divinidad y se hizo semejante en todo a nosotros, menos en el pecado, y para que le tengamos todavía más confianza se quedó en forma de hostia pequeñita en la Eucaristía. Pero los "tremendistas" le siguen teniendo demasiado temor y terror, y mientras El les tiende la mano y les declara la paz y les dice "Seamos amigos", ellos se quedan a distancia y pretenden darle una lección y le dicen con su comportamiento: "Acuérdese que es Dios y Rey, y aléjese de nosotros". ¿Tendremos nosotros esa dañosa mentalidad?" (P. Mateo).

2o. *El complejo del pecado.* Otro enemigo de la confianza en Dios es pensar que porque somos tan pecadores y tan manchados, ya Dios no quiere tratar con nosotros. Eso es olvidar con qué clasecita de gente se codeaba Jesús. Con la samaritana que había tenido 5 maridos y vivía con un tipo sin casarse. Con la Magdalena a la cual le tuvo qué sacar siete demonios del alma, para que pudiera andar por allí cerca de El. Con Zaqueo el tramposo y Santiago el malgeniado y Juan el orgulloso, y hasta en la cruz se dedica a dialogar con un bandido, y se lo lleva al cielo. Es que a Jesús lo que le interesa no es tanto lo malos que hemos sido, sino lo buenos que queremos ser. El no exige que no hayamos sido pecadores hasta ahora, sino que no queremos seguirlo siendo en adelante. Si Judas después de venderlo por 30 monedas en vez de ahorcarse colgándose de un árbol hubiera hecho como Pedro, se hubiera puesto a llorar de arrepintimiento y se hubiera colgado del cuello de Jesús, pidiéndole perdón, hoy sería un gran santo. Lo que le faltó fue confiar en la bondad de Nuestro Señor.

3o. *El pensar que lo que nos toca soportar, supera nuestras fuerzas.* Es lo que dijo Caín, cuando Dios lo castigó por su pecado: *"Mi pena es demasiado grande para poder soportarla"* (Gen. 4,14). A esto hay que responder con lo que enseña Santo Tomás: *"Dios, cuando da una cruz o un sufrimiento, concede también las fuerzas necesarias para sobrellevar ese peso"*. O como decía Santa Teresita: "Nuestro Señor me dio el dolor, pero me concedió también el valor para soportarlo". San Pablo afirmaba: *"Dios no permitirá que suframos tentaciones superiores a nuestras fuerzas ni pruebas más duras de las que podemos soportar.* Y con cada tentación concede también el modo de poderla resistir con éxito, y con cada prueba la manera de poder superarla"(1 Cor. 10,1). Con tal sí, de que nosotros no nos hayamos expuesto voluntariamente a la tentación y a la ocasión de pecar, porque entonces ya es culpa y responsabilidad nuestra (o como decía San Agustín, "Dios amarró el perro bravo con una cadena corta, pero nosotros nos acercamos demasiado y el can logró modernos. Pero eso ya fue culpa nuestra).

El profeta decía a los que se quejaban de que las pruebas que les llegaban eran demasiado grandes para poder soportarlas: "¿Acaso es que para Dios hay alguna cosa imposible de resolver?" Y Jesús repetía: *"Para los seres humanos hay situaciones imposibles de resolver, más no para Dios, porque todo es posible para Dios"* (Marc. 10,27).

Así que cuando nos venga la tentación de pensar que lo que nos ha correspondido soportar y sufrir es superior a nuestras fuerzas y capacidades, respondamos con la frase de la Sagrada Escritura: *"Nada hay imposible para Dios"* (Luc. 1,37).

El **4o.** Obstáculo contra la confianza en Dios: ***Imaginar que Dios es mero espectador,*** que no se preocupa por ayudarnos y compadecernos. Dios se interesa más por nuestros problemas que lo que nos interesamos nosotros mismos. A El le interesa más nuestra conversión y santificación y salvación que lo que nos interesa a cada uno de nosotros. Además: ¿cómo se va a quedar sin actuar en nuestro favor si es Todopoderoso y cuanto quiere lo puede hacer y lo obtiene? ¿Cómo se va a quedar insensible ante nuestras dificultades si nos ama con amor eterno a cada uno, como si fuéramos el único ser que hubiera en el mundo? ¿Cómo se va a hacer el sordo ante nuestras súplicas si ha prometido solemnemente: *"Todo el que pide recibe"*, y ha dicho por medio del profeta: "No ha terminado una persona su oración, y ya le estoy enviando mi respuesta. Ninguna oración sube al cielo sin volverse a la tierra llena de recompensas". ¿Acaso podría el Padre Dios olvidarse de ayudarnos, si su Hijo Jesucristo está día y noche intercediendo ante El en favor nuestro?

A cada uno de nosotros nos puede decir Jesucristo lo que respondió a San Antonio Abad (año 300) y a Santa Catalina (año 1370) ante la petición que estos santos le hicieron en distintas épocas pero en situaciones muy parecidas: "Señor: ¿a dónde te fuiste cuando tuve qué sufrir tan terribles tentaciones y tan fuertes pruebas?" -y Jesús les respondió: "Yo no me fui a ninguna otra parte. Yo estaba allí presente contemplando tus luchas y concediéndote valor para obtener la victoria". Eso mismo es lo que está haciendo noche y día en favor nuestro. A veces nos parece que nos hubiera dejado solos, pero El sigue cumpliendo la promesa que hizo en su discurso de la Ultima Cena: *"Yo no los dejaré solos"*. Y ya había anunciado: "Antes pasarán el cielo y la tierra a que alguna de estas palabras deje de cumplirse". -Así que nunca estamos solos. Cristo está siempre con nosotros y actuando en favor nuestro.

5o. Que Dios se demora y tarda bastante en respondernos

Esta es una de las causas que más atacan a nuestra confianza en Dios. La precipitación es señal de debilidad, y los que somos débiles queremos que las soluciones sean inmediatas, rapidísimas. Pero Dios no es débil y prefiere solucionar las situaciones despaciosamente, pero solucionarlas bien. Dios es un gran artista (el mejor artista que existe) y los artistas trabajan despacio para hacer las cosas bien. Si llamamos a cualquier chambón a que nos pinte la casa, la pintará en pocos días, pero quedará todo lleno de manchones y de fallas. En cambio si llamamos a un artista, probablemente va a demorar muchos días, pero nos dejará muy bien pintada la casa. Algo parecido sucede con Dios: trabaja despacio, porque quiere que lo que nos concede no sean chambonadas, sino obras de arte.

El taxista

Un fraile capuchino muy pobre, viajaba en un taxi, y como no tenía dinero le dijo al taxista al despedirse: "Yo no tengo con qué pagarle. Que Dios le pague". Y el otro que era algo descreído, respondió suspirando: Mejor págueme Ud. porque es que... *Dios demora mucho*" Pues sí, a veces sucede que tenemos qué esperar harto tiempo para que Nuestro Señor responda a nuestras oraciones (y esto trata de apagar nuestra confianza en El) pero Dios llega y llega siempre y sabe responder muy bien, aunque sus soluciones casi nunca son instantáneas ni extrarrápidas ni de entrega inmediata.

Orden, consejo o súplica

Lo que pasa es que algunas personas se imaginan que su oración *es una orden que le dan a Dios,* como la orden que se le da al panadero para que nos envíe el pan, o a la fábrica de gaseosas para que nos mande las bebidas que necesitamos. No. La oración no es una orden que le damos a Dios. Ni mucho menos. La oración no es tampoco un *consejo* que le damos a Nuestro Señor, (como si El necesitara de nuestros consejos, que no le hacen ninguna falta). La oración no es ni una orden, ni un consejo que le damos a Dios. Es sencillamente una humilde petición que le hacemos, *una limosna que le pedimos.* Todo es regalo gratuito suyo. Por eso el sacerdote en la misa (a imitación del modo como rezaban los antiguos israelitas) reza con las manos extendidas, como un mendigo pidiendo limosna. Y Dios nos responde siempre generosamente. Pero ¿cuándo? ¿Dónde? ¿Cómo? -Cuando, donde, y como El le parezca mejor. El es el que sabe. Nosotros somos los que no sabemos. Pero podemos rezarle con la total confianza de que siempre nos dará más de lo que deseamos y merecemos.

DONDE SE EXPLICA LO DICHO CON ALGUNOS EJEMPLOS

San Francisco de Sales, el hombre más amable que ha existido después de Jesús, estaba siempre lleno de problemas, de trabajos difíciles, de quebrantos de salud, de situaciones económicas muy duras y de graves peligros, pero vivía lleno de paz, de tranquilidad y de alegría. Y un día alguien le preguntó *cuál era su secreto* para conservarse alegre y en calma en medio de tantos problemas, y el santo le respondió: -¿Ha visto un niño cuando viaja en brazos del papacito? Aunque haya precipicios peligrosos o fieras feroces, o el camino sea muy áspero, *el niño no se afana porque viaja en brazos del papá que es fuerte* y puede vencer a todos esos obstáculos que se presentan. Así lo hago yo. Me pongo en brazos de Mi Padre Dios y logro vivir siempre tranquilo, porque El es más fuerte que todos los peligros y problemas que se me puedan presentar. Confiar en Dios es el mejor negocio del mundo".

Santa Teresa iba a fundar un convento y no tenía sino 20 monedas, y se dijo: "¿Teresa, más veinte monedas? Igual: cero a la izquierda. ¿Teresa, más veinte monedas, más una gran confianza en Dios? ¿Quién nos podrá atajar? Nadie". -Y fundó el convento y fue un gran éxito.

El caballo blanco. San Juan Bosco en uno de sus 159 misteriosos sueños vio que se le presentaba el camino de la vida como un terreno lleno de precipicios impresionantes, serpientes venenosas alacranes, arañas y muchísimos peligros más, y al pedir ayudas del cielo le fue enviado un caballo blanco que pisaba y alejaba las alimañas venenosas y atravesaba victorioso los precipicios, y vio que en ese brioso alazán lograba llegar hasta la Tierra Prometida. Una voz celestial le dijo: "Mire lo que está escrito en la nuca del caballo". Miró y vio un letrero que decía: *"Confianza en Dios"*. Y la lección que recibió fue ésta: que para lograr salir victorioso de los peligros de este mundo es necesario apoyarse en algo que siempre produce muy buenos resultados y es la confianza en Dios.

Un Mensaje Celestial. Sor Consolata Bertrone que escribió libros que se han hecho famosos, oyó en una visión que Jesucristo le decía: *"Yo pensaré en todo, hasta en los últimos detalles. Y tú piensa sólo en agradarme y en confiar en Mí"*. Algo parecido le dio a Santa Catalina: *"Cuida tú de mi honra y de mis cosas, que yo cuidaré de ti y de las tuyas"*.

Un Pontífice pedigüeño. Un santo sacerdote visitó un día al Papa Pío Nono y lo encontró rezando la Novena de la Confianza al Sagrado Corazón de Jesús. Le preguntó si la rezaba con frecuencia y si estaba pidiendo alguna gracia especial, y el Pontífice le respondió: "Estoy pidiendo una gracia especialísima, y ya he rezado 40 veces (360 días) esta novena. No me cansaré de rezarla, porque la perseverancia todo lo alcanza". Después se supo que el Papa sí había logrado obtener el favor que le estaba pidiendo al Sagrado Corazón, pero no lo consiguió la primera vez ni a la décima ni a la vigésima vez que rezó la novena. Dios se hace rogar, pero si no nos cansamos de pedir, al fin obtenemos lo que necesitamos.

Dos preguntas. El autor del hermoso libro de la S. Biblia llamado «Eclesiástico», hace esta pregunta»: "*¿Han conocido a alguno que haya confiado en Dios y haya tratado de agradarle y que haya sido abandonado por Dios?"* (Ecl. 2,10). Tenemos qué responderle que no hemos conocido un caso así y que lo más seguro es que nos moriremos sin ver abandonado por Dios a uno que ponga en El su confianza y trate de agradarle.

La segunda pregunta la hace el Salmo 147: "¿A quién prefiere el Señor?" -y responde: *"El Señor Dios prefiere a los que confían en su misericordia".* Ojalá formemos parte siempre de ese grupo de sus preferidos.

Bella comparación. El salmo 125 dice: *"Los que confían en Dios son como el Monte Sión, inconmovibles".* Qué bella esperanza para nosotros que somos tan débiles y tan cambiantes. Si confiamos en Dios nos iremos volviendo tan fuertes e inconmovibles como ese Monte Sión que está cimentado sobre una fortísima roca. Y si Dios lo dice, es que así va a suceder.

Cuando las dificultades de esta vida tiendan a desanimarnos, recordemos la sublime recomendación de Jesús: *"Animo. Confíen en Mí, yo he vencido al mundo".* (Jn. 16,33). Y si confiamos en El, tendremos muchos éxitos en la vida y una gran felicidad en la eternidad.

- 14 -
¿QUIERE SER FELIZ?

LEA BUENOS LIBROS

Tres gozosas experiencias. A un profesor le oímos contar lo que le sucedió en los inicios de su vida de profesorado. Dijo así: "Cuando yo empecé a dictar clases no lograba entenderme con mi alumnado. Yo era demasiado duro y áspero y los jóvenes tenían hacia mí más antipatía que cariño. Me sentía casi aislado del alumnado y del profesorado y consulté mi caso a un sicólogo muy experimentado, el cual me aconsejó: "Lea el libro *Cómo ganar amigos,* de Carnegie, y trate de cumplir lo que allí se aconseja". Así lo hice en vacaciones de mitad de año, y luego en los meses siguientes me propuse practicar las técnicas que en ese bello libro se recomiendan. Y esto me produjo una mejoría total en el trato con profesores y alumnos. Tanto que al final de año algunos me dijeron: "¿A Ud. qué magia le hicieron, que ahora es tan distinto y mejor de lo que era al principio del año?". "*La lectura de un buen libro había producido tan agradable transformación*".

A la directora de una clínica para madres solteras la notaban las jóvenes casi siempre entristecida y malhumorada. Pero pasados unos meses empezó a presentarse con rostro risueño y una alegría impresionante en todo su aspecto. Una de esas muchachas se atrevió un día a preguntarle cómo había obtenido semejante cambio en su temperamento y ella le respondió: "Es que me recomendaron leer el libro COMO ALEJAR LA DEPRESION, de Le Haye y allí aprendí las técnicas para vivir alegre y alejar la tristeza". Y comentaba que su vida se podía dividir en dos partes: la primera, triste y malhumorada, antes de leer el buen libro, y la segunda, alegre y entusiasta, después de tan provechosa lectura.

3a. En el periódico El Tiempo apareció una carta que copiamos tal cual. Decía así: "Yo era triste, de malgenio, conflictiva y desanimada. Peleaba y alegaba con todo el mundo. Pero un día una buena persona me recomendó leer el libro SECRETOS PARA TRIUNFAR EN LA VIDA, de Sálesman, y ahora la gente me pregunta: "¿Qué milagro le hicieron que se transformó en persona alegre, amigable, y entusiasta?". Y yo les digo: "El milagro lo hizo Dios por medio de un buen libro". -Ah, si yo hubiera leído ese libro diez años antes, cuántos errores y amarguras me hubiera evitado!

Historias antiguas y nuevas

Cuenta San Agustín en su bellísimo libro titulado *"Confesiones"* que él en su juventud cometió muchísimos errores y era esclavo de sus pasiones porque su deseo era tener, poseer, gozar deleites sensuales y conseguir fama y dinero. Pero que un buen día le recomendaron el libro *"Hortensio"* escrito por el famoso Cicerón y que allí aprendió una importantísima lección: que *el hombre vale no por lo que tiene sino por lo que es.* Aquello fue para Agustín como el correrse de un telón y empezar a ver los verdaderos valores de la vida. De ahí en adelante ya lo que se propuso no fue conseguir dinero o fama o goces sensuales, sino formarse una gran personalidad y llevar una vida digna de un buen ser humano. La lectura de un buen libro transformó toda su existencia.

Un capitán que se transforma. Hacia el año 1520, un valeroso capitán español recibió en plena batalla un balazo en una pierna, lo cual lo obligó a quedarse inmovilizado en cama por bastante tiempo. Aburrido de no hacer nada, pidió que le llevaran unas novelas para leer, pero allá no había nada de eso, y lo que le llevaron fue una Vida de Jesucristo y unas Vidas de Santos. Al principio no quería leer estos libros porque estaba acostumbrado a leer noveluchas. Sin embargo ante la realidad de no tener nada más en qué emplear su tiempo, se decidió a leer aquellos libros piadosos. Y cuenta él mismo su experiencia, con estas palabras: "Antes cuando yo leía noveles me emocionaba durante la lectura, pero después quedaba con hastío y una tristeza total en el alma. Pero ahora me sucedía lo contrario: al leer estos libros me quedaba en el alma una alegría, una agradable sensación y un deseo inmenso de volverme mejor. Y me repetía: "Si estos personajes lograron ser buenos, ¿por qué no lo voy a poder lograr yo también?" y las buenas lecturas cambiaron totalmente mi modo de ser y de actuar" Ya sabemos cómo se llamaba este famoso capitán: es nada menos que *San Ignacio de Loyola*, el fundador de los Padres Jesuitas. La lectura de buenos libros lo transformó de mundano vanidoso en santo.

Un muchacho que moderó el carácter. Un día un estudiante de fuerte carácter, terco, discutidor, y bastante vanidoso, entró a una capilla y en una banca encontró el simpático librito *"Imitación de Cristo".* Se puso a leerlo y encontró allí, son sus palabras: "Más enseñanzas en una de sus páginas, que las que había leído en varios tomos de otros autores". Empezó a visitar cada día esa

DIME QUE LEES Y TE DIRE QUIEN ERES

capilla y a leer páginas y páginas de tan precioso libro. Cuando volvió a su casa en vacaciones su hermano y su hermanastro le decían: "¿Quién logró semejante cambio en su carácter? ¿Por qué ahora no es tan discutidor, ni tan terco ni tan vanidoso?". El no les contó quién había sido, pero por dentro se repetía: "Todo este cambio tan provechoso me vino de la lectura de un buen libro: La Imitación de Cristo". El nombre de este joven es Juan Bosco, y fue después un grande y simpático santo.

El campesino ganadero que cambió de rumbo

Era un joven italiano tosco y fuerte, de unos 20 años, que sólo deseaba tener bastante ganado y una buena finca y vivir bien. Pero un domingo al salir de misa se encontró con el párroco el cual le preguntó: -¿Juan Ud. qué libros lee? -Yo no leo, padre, porque no tengo tiempo-.

El sacerdote le dijo:

-No se engañe: Nunca diga que no tiene tiempo para leer. Cada persona tiene tiempo para lo que quiere (y no tiene tiempo para lo que no quiere). Ud. sí tiene tiempo.

-Bueno Padre, tiempo si tengo, pero lo que no tengo son libros.

Entonces el sacerdote le prestó el libro *"Preparación para la muerte"*, escrito por San Alfonso, un libro que estremece hasta los corazones de piedra, y le recomendó que cada día leyera alguna página, aunque no tuviera ganas de leer. Así lo hizo aquel joven y se emocionó de tal manera que un mes después volvió donde el sacerdote y le dijo:

-Padre, el libro que me prestó me impresionó tan profundamente que he resuelto dejar mi finca y mis bienes y hacerme sacerdote y misionero.

Y fue recibido por los Padres Salesianos y enviado a América y llegó a ser el gran propagador de la devoción al Niño Jesús en Bogotá, el Padre Juan del Rizzo. Y toda su vida recomendó leer el libro *"Preparación para la muerte"* y otros libros religiosos, porque su experiencia personal le había demostrado que, después de una buena lectura, la vida y la conducta pueden dar un vuelco completo y ya no ser uno el mismo de antes, sino mucho mejor.

Un buen libro es un gran bienhechor para la humanidad.

La experiencia de Gandhi (+1948)

El libertador de la India, Mahatma Gandhi contaba que desde pequeño se acostumbró a leer libros religiosos, sobre todo el Mahabharata (que es el libro sagrado hindú, como para nosotros la Biblia) y decía: «cuando leo los libros religiosos siempre encuentro en ellos algún mensaje que me hace provecho y me llena de animación. Empiezo a leer y a sonreír de alegría y de felicidad, aunque tenga problemas y luchas. En mi vida he tenido muchas preocupaciones, pero ninguna de ellas ha logrado desesperarme o desanimarme, y esto debo agradecérselo à la lectura de libros piadosos. Durante toda mi vida la lectura de buenos libros ha sido mi guía cotidiana y el consuelo en todas mis dudas. Los libros sagrados fueron como el horno o crisol donde fui quemando mis impurezas e imperfecciones y de allí fui obteniendo mi formación espiritual. Cada buena lectura va haciendo subir el alma hacia nuevas alturas".

Y a un obispo católico que se admiraba al ver que él, siendo hindú, leía el Sermón de la Montaña de Jesucristo, Gandhi le respondió: "Si los católicos leyeran más frecuentemente este bello sermón y lo pusieran en práctica, se volverían santos".

Franklin cuenta su experiencia (+1770)

El inventor del pararrayos y uno de los fundadores de la nación norteamericana, Franklin, escribió en su autobiografía estos datos interesantes. "Desde joven me aficioné a la lectura de libros provechosos y esto me fue de inmensa utilidad. Dinero que conseguía lo gastaba en buenos libros. Un hombre muy estimado me aconsejó que la hora que nos dejaban a mediodía para almorzar (éramos empleados de una imprenta) no la perdiera en charlas vanas como lo hacían los demás. Que después de gastar media hora en almorzar y descansar un poco, empleara la otra media hora en leer libros instructivos. Le hice caso y después de unos meses había adquirido tal facilidad para conversar, que cuando llegaba una visita al taller me enviaban a que los atendiera, y varios visitantes en vez de ir a buscar al gerente para charlar, preferían charlar conmigo, porque les parecía más instructiva mi conversación. Leí libros acerca de cómo debe ser el buen comportamiento de un creyente, y su lectura me fue muy provechosa e influyó mucho en mi vida. Leía un rato por las noches antes de acostarme, y si alguna vez por la madrugada se me iba el sueño, me levantaba a leer. Los domingos aprovechaba aquel descanso para dedicarme a leer. Pero no leía a la corrida, como al diagonal, pasando rápidamente los ojos sobre las palabras, sin que la inteligencia tuviera tiempo para digerir aquello. No me interesaba el número de páginas que hubiera leído, sino qué se me había quedado de aquellas lecturas. Porque lo único que se aprende es lo que se graba en la memoria. A los buenos libros les debo parte de mi formación, de mis éxitos y de mi felicidad".

¿Qué me enseñará a mí este testimonio de un hombre tan famoso?

Lo que dijo un célebre literato

En mayo de 1978 José Luis Borges, muy renombrado literato, pronunció en la universidad de Buenos Aires una hermosa conferencia acerca de lo que se gana con una buena lectura, y entre otras cosas dijo estos bellos pensamientos:

"Pienso que leer un buen libro es una de las posibilidades de felicidad que tiene el ser humano.

«De los instrumentos que existen para hacer mejor y más feliz a una persona uno de los más eficaces es un buen libro. Los libros son la memoria de la humanidad.

«A un gran escritor llamado Og Mandino le preguntaron si él creía que existía el Espíritu Santo, y respondió: "Es que sin la existencia del Espíritu Santo no se podría explicar cómo han sido escritos ciertos libros como por ej. El Quijote, la Imitación de Cristo, o

Cómo ganar amigos. Estos escritos formidables, no pueden ser obra simplemente de un pobre ser humano, falible y defectuoso. Allí tuvo qué intervenir el Espíritu Divino".

«Hace muchos años preguntaron en una encuesta: "¿Qué es un buen libro?", y la respuesta que más me gustó fue ésta: *"Un buen libro es un modo muy eficaz para volver más feliz y más buena a la gente".*

«Emerson decía que *un armario lleno de buenos libros es como un gabinete mágico* en el cual cuando uno se acerca, empiezan a hablarle personas que están muy lejos en la tierra o que ya están en el otro mundo. Sólo esperan que abramos un libro y empecemos a leer, para salir ellos de su mudez y empezar a instruirnos para nuestro provecho.

«Sólo tenemos qué abrir el libro y los autores despiertan y comienzan a charlar con nosotros, y esa charla con las mejores mentalidades que ha tenido la humanidad nos resulta inmensamente provechosa.

«Yo, en los 20 años en que he sido profesor de literatura en la Universidad de Buenos Aires siempre he recomendado a mis alumnos: "lean, lean cada día. Pero no lean de todo. Sepan escoger bien lo que van a leer. Y aunque no puedan entender todo lo que el libro dice, basta que de cada página logren captar algún buen pensamiento o enseñanza, y esto los hará crecer espiritual e intelectualmente".

Estos pensamientos del escritor Borges son tales que merecen volver a ser leídos una y otra vez.

Unas personas que deseaban progresar en santidad pidieron a San Alfonso de Ligorio (+1787) que les recomendara una mortificación o sacrificio que las hiciera crecer espiritualmente. Y él les respondió diciendo: *"La penitencia que yo les recomiendo es que cada día lean unas páginas de un libro bueno.* Ninguna otra penitencia les hará tanto provecho como ésta". Y en el confesonario este gran santo ponía muchísimas veces como penitencia por los pecados, a quienes se confesaban con él: "Lea algunas páginas de un libro piadoso. De un libro que sea fácil de entender. Pero lea, lea. Y cuando no tenga ganas de leer o sienta pereza, diga: "Esta lectura la ofrezco como penitencia por mis pecados". Y verá que así sí es capaz de dedicarse a leer. Y cuando haya adquirido la buena costumbre de leer cada día unas páginas de un libro formativo notará tales progresos en su alma y unos consuelos espirituales tan grandes, que ya nadie tendrá qué recomendarle que lea, porque su propia y agradable experiencia le moverá a no dejar un sólo día sin leer algo bueno".

La desilusión de Bolívar. A un profesor de historia le oímos lo siguiente: cuando el futuro libertador de América fue por primera vez a Europa, a la edad de 16 años, se dio cuenta con tristeza que siendo el más adinerado que otros jóvenes de su edad de España, sin embargo ellos lo superaban en personalidad, y le preguntó el por qué de esto, a su preceptor Simón Rodríguez. Este le dijo que más tarde les explicaría cuál era la causa de eso. Luego al llegar a Francia, constató Bolívar que los franceses eran más pobres que muchos suramericanos, pero tenían más personalidad. Y volvió a preguntar a Rodríguez la causa de esto, y el otro le contestó que en Italia le explicaría la causa.

Y al llegar a Roma se dio cuenta de que los italianos, teniendo menos minas que los suramericanos, y menos tierras, tenían sin embargo más personalidad. Le volvió a preguntar la causa de ello al inteligente Rodríguez y éste le dio una respuesta que le causó honda impresión. Le dijo:

-*Los europeos tiene más personalidad que los suramericanos, porque los europeos leen más que los de suramérica.* Y le añadió una frase impactante: "Oiga Simón y no lo olvide nunca: "Quien no lee, es media persona".

Y dicen que el joven Bolívar dio un puñetazo en la mesa y exclamó emocionado: ***"Juro por mi honor, que jamás seré media persona".*** Y en adelante no dejó pasar un sólo día sin leer algo instructivo y serio (porque no basta con leer periódicos que eso no forma).

Y dicen los historiadores que aun en las fechas de las más tremendas batallas, cuando al llegar la noche, los demás militares caían al lecho rendidos de cansancio, en el campamento de Bolívar a las once de la noche todavía se veía una vela encendida. Estaba leyendo, porque no quería ser media persona (y sabía que quien no lee es persona incompleta). Y en sus viajes, lo primero que echaba a su equipaje era un buen número de libros para leer.

Y sin haber hecho bachillerato, ni haber frecuentado clases de universidad, logró Bolívar a base de autoesfuerzo y de lectura constante llegar a componer unas proclamas militares que son joyas literarias, y redactó documentos políticos estimadísimos en muchas naciones. Lo que se puede conseguir a base de leer y leer!

El sabio Cardenal Pie repetía unas frases que son dignas de ser meditadas: "Cuando en una nación la gente no lee sino periódicos y revistas, y no libros serios y formativos, pronto aquel país se llena de impíos, revoltosos y superficiales. Pero donde la gente se acostumbra a leer con frecuencia libros buenos, allí aparecen y se forman grandes personalidades" (Leer periódico es leer para olvidar. Leer libros es leer para recordar).

Un crecimiento que se hizo notorio

Santa Teresa cuenta en su autobiografía que en su juventud se dedicó a leer novelas y esa lectura la volvió sentimental, vanidosa y superficial y le apagó y disminuyó mucho su devoción. Pero que luego tuvo un crecimiento espiritual muy notorio cuando leyó dos libros que la transformaron. El primero fue *"El abecé de la oración", de* Osuna, que le enseñó a rezar, y esto fue de inmenso beneficio para ella y para muchas personas a quienes enseñó más tarde las técnicas para orar bien. El segundo libro que le produjo un verdadero «sacudón» en el alma, fue el de *"Las Confesiones"* de San Agustín. La santa dice que antes de leer tan impresionante libro ella era fría en piedad y descuidada en su vida religiosa, pero que desde que leyó Las Confesiones, todo se transformó en su existencia. Y fue entonces cuando hizo un propósito que después repitieron San Juan Bosco y muchos santos más. Dice así: *"Así como en el pasado he servido al mundo con la lectura de cosas profanas, de ahora en adelante trataré de servir a Dios dedicándome a leer libros buenos y piadosos".* Qué hermoso propósito para que cada uno de nosotros lo haga desde hoy mismo. Maravilloso! Formidable!

Una muchacha enseñando a un obispo. Monseñor Builes fundador de dos comunidades religiosas dejó escrito esto: "Cuando estaba empezando mi apostolado leí la autobiografía de Santa Teresita, su lindo librito que se titula ***"Historia de un alma"*** y reconozco que esa lectura obró en mí una verdadera conversión. Desde entonces ya no fui el mismo de antes y sentí un fuerte deseo de comportarme mejor y de dedicarme más y más a ayudar a los demás".

Si leemos buenos libros, nunca nos sentiremos solos. Si leemos siquiera media hora cada día, iremos creciendo espiritualmente sin darnos cuenta (pero leer libros serios, no noveluchas o periódicos, que son golosinas que inflan pero no fortifican).

> ***«Qué gran obra de caridad es regalar buenos libros,»***
> **decía San Antonio Claret.**

Declaraciones de un sabio

Don Andrés Bello es considerado en América del Sur como una verdadera autoridad en cuanto al idioma (fue maestro de Bolívar). Y este sabio dejó escrito lo siguiente:

"Las buenas lecturas traen siempre muy buenas recompensas y premian muy bien el trabajo que cuesta al leerlas y el tiempo que se les dedica, y proporcionan placeres sanos y elevados. Las buenas lecturas amplían el horizonte de nuestros conocimientos y nos evitan el estar ociosos y sin hacer nada, lo cual causaría un gran daño a nuestra personalidad. Las buenas lecturas nos hacen descubrir hermosuras en la naturaleza y ejemplos admirables en la historia. Son un ejercicio delicioso del entendimiento, un enriquecimiento de la memoria, un avivamiento de la imaginación, fortifican el carácter y mejoran la moralidad de las personas. Las buenas lecturas debilitan el poderío de las seducciones sensuales y alejan y hacen desaparecer muchos dañosos terrores imaginarios acerca del futuro. Las buenas lecturas pueden llevar el consuelo al lecho del enfermo, a la celda del encarcelado y a la habitación del que vive solitario. Yo he experimentado en mi larga vida (1780-1865) los grandes beneficios que produce el leer buenos libros. Y los goces tan sanos y saludables que ellos dejan en el alma. Las buenas lecturas alegraron los días de mi niñez, y siguen alegrando los días de mi ancianidad".

Las declaraciones de un hombre tan sabio como éste, deberían animarnos a imitarlo en su amor por la lectura de libros, y provechosos para el alma. (En la contracarátula de este libro se encuentra una lista de libros cuya lectura hace un gran bien).

San Antonio Claret. Es difícil, encontrar en los últimos siglos un hombre que haya propagado tanto y con tan excelentes resultados los buenos libros como San Antonio Claret. El decía lo siguiente:

"Yo estoy convencido de que la mejor limosna, el mejor regalo, que se le puede hacer a una persona es un buen libro. Por todas partes he visto que una buena lectura transforma a la gente, convierte los pecadores y trae inmensos beneficios. Creo que no pasa día en el mundo sin que un buen libro convierta a alguna persona y la vuelva mejor y más feliz.

"He descubierto que la gente lee más si se le motiva más a que lea. No digamos: "a la gente no le gusta leer", sino más bien: "la

gente no ha sido motivada para que lea". Si les hablamos acerca de lo mucho que gana leyendo buenos libros, y les ayudamos a conseguirlos, van a empezar a leerlos y su provecho espiritual y material será admirable".

"Cuántos antiguos pecadores que ahora son santos, deben la gracia de su conversión, a una buena lectura. Después de Dios y los santos, ¿qué mejor amigo que un buen libro? Si rezamos, hablamos a Dios. Si leemos un libro espiritual, Dios nos habla a nosotros".

"Yo desde pequeño empecé a leer libros religiosos, especialmente Vidas de Santos y a su lectura, después de la gracia de Dios, le debo el haberme conservado en la religiosidad y en el amor por salvar mi alma y la de los demás".

"Oí decir que Santa Teresa cuando veía a una persona inclinada a la espiritualidad le aconsejaba leer libros piadosos y le ayudaba a conseguirlos. Me propuse hacer lo mismo, y los frutos que se obtuvieron fueron maravillosos".

"Es necesario tomarse tiempo para leer porque si no, el espíritu se vuelve raquítico, se enaniza y cuando le lleguen los ataques de los enemigos del alma no va a tener energías para rechazarlos. Un día sin leer nada espiritual, es un día perdido.

"La mejor universidad que pueda existir es una buena colección de libros". La mayor parte de los grandes personajes fueron autodidactas. Se formaron ellos mismos. ¿Por qué no tratar de hacer también nosotros otro tanto?

"Solo en el cielo sabremos el gran bien que se ha conseguido al leer buenos libros".

A JESUCRISTO ES IMPOSIBLE CONOCERLO Y NO AMARLO

- 15 -

¿QUIERE SER FELIZ?

AME A JESUCRISTO Y CREA EN EL

En una clase de sicología dejaron esta tarea al alumnado:

"1o. Haga la lista de cualidades que debe tener un buen amigo.
2o. Diga si sabe de alguna persona que posea esas cualidades.
3o. Escriba el nombre de esa persona.

Y alguien en la clase respondió a la primera pregunta, haciendo una lista de 40 cualidades. A la segunda pregunta respondió: sí conozco una persona que posee todas esas cualidades y muchas más. Y a la tercera su respuesta fue: *"Su nombre es: JESUCRISTO"*. Con un amigo así de perfecto sí da gusto entablar amistad, y para siempre.

La clave del éxito. Un hombre le preguntó a San Antonio cómo hacía para ser capaz de preparar y predicar tan numerosos sermones, escribir tanto, y atender a esa muchedumbre de pobres que le pedían ayuda y dar consejos y dirección espiritual a tan alto número de personas, y el santo respondió: *"Entusiásmese por Jesucristo y verá que consigue fuerzas y ánimo para hacer todo esto y mucho más"*. Muy buena fórmula. Es la que han empleado tantísimos santos y santas y muchos apóstoles en 20 siglos: entusiasmarse por Jesucristo. Conseguido esto ya las fuerzas y el entusiasmo y las ideas, todo llega por añadidura, de manera admirable.

El primero que le extendió una recomendación

Hay una ley en teología que dice: para saber cuánto vale algo o alguien es necesario averiguar qué valor le concede, no la creatura, sino Dios.

Pues bien; el primero que extendió en favor de Jesús una carta de recomendación, fue el mismo Padre Celestial. Por dos veces el Padre Dios rompió su silencio eterno y misterioso, y fue para hablar en favor de su Hijo Jesucristo. La primera vez fue mientras Juan Bautista estaba bautizando a Jesús. Se oyó una voz del cielo que decía: *"Este es mi Hijo amado en quien tengo todas mis complacencias"* (Mat. 3, 17).

La segunda vez que Dios dejó oír su voz en favor de Jesús fue en la Transfiguración en el Monte Tabor. Se oyó una voz desde la nube que decía: *"Este es mi Hijo amado, escuchadle"* (Marc. 8,7). Con semejantes recomendaciones por parte del Dios del cielo ¿quién no va a estimar y amar a Jesús?

Y es que el mismo Cristo repetía: *"Mi Padre me ama porque yo hago siempre lo que a El le agrada"* (Jn. 8,29) *y porque doy mi vida* (Jn. 10.17). *El Padre ama al Hijo y le ha permitido y le permitirá grandes cosas"* (Jn. 5,20). Por eso que cuando amamos a Cristo lo que estamos haciendo es imitar al Padre Celestial que lo ama desde toda la eternidad y lo sigue amando con el amor más grande que ha existido y existirá.

La ciencia preferida. Cuando el Papa Pío Nono recibió por primera vez en audiencia a San Juan Bosco le preguntó: *"¿Cuál es su ciencia preferida?"* -y el santo le respondió: *"Mi ciencia preferida es estudiar y tratar de conocer y amar cada vez más a nuestro Señor Jesucristo".* Al Pontífice le agradó mucho esta respuesta y le dijo:. "En eso estamos de acuerdo. No debe haber otra ciencia que nos atraiga más que ésta: la de tratar de conocer y amar más y más a Jesucristo".

Y es que estos dos grandes personajes habían leído y releído y se sabían de memoria aquel consejo del hermoso libro Imitación de Cristo: *"Que nuestro estudio preferido sea el pensar y el meditar en la vida de Cristo".* Durante muchos siglos, miles y miles de personas fervorosas han obedecido a este consejo y los frutos que han conseguido son formidables.

Un buen propósito. El venerable Luis Variara, fundador de las Religiosas de los Sagrados Corazones y gran apóstol de los leprosos, cuando era novicio escribió una serie de propósitos para practicarlos durante toda su vida. Y el primero de todos ellos fue éste: *"No dejar pasar ningún día sin leer algo acerca de Jesucristo".* Se esforzó por cumplirlo y se entusiasmó de tal manera por nuestro Redentor que empleó toda su vida en hacerlo amar y conocer por el mayor número de personas que le fue posible. ¿Qué tal que algunos de nosotros hiciera un propósito como ese? ¿Qué ventajas tan grandes obtendría para sí y para otras personas?

A un sacerdote le oímos narrar que cuando era seminarista leyó este propósito del Padre Variara y se propuso hacer otro tanto, y nos contaba que desde entonces, leyendo una página cada día, ha logrado leer más de veinte libros acerca de Jesucristo, y que cada vez descubre nuevos datos admirables de nuestro Divino Salvador.

¡Qué gran personalidad!

La sicología enseña que nadie ama lo que no conoce. Y por lo tanto si alguien quiere amar más a Jesucristo tiene qué esforzarse por saber más y más de El. Cuanto más se aprecie y se estime a una persona, más lograremos tenerle amor y cariño. Por eso es de primerísima importancia recordar algunos datos acerca de la impresionante personalidad de Jesucristo. Veamos algunos.

Su equilibrio: Cristo es tranquilo pero activo; puro pero humilde; activo pero sin nerviosismo; emotivo, pero sin precipitaciones; amable, pero no débil; fuerte, pero no violento; inteligente, pero no malicioso.

Valientísimo. Cuando los judíos están dispuestos a matarlo, he ahí que se aparece Jesús con indecible audacia.

Humilde. Llega a Jerusalem en un borrico, porque ésta cabalgadura significaba paz y humildad. En cambio los guerreros llegaban en briosos corceles y los millonarios hacían su entrada en la ciudad en lujosas carrozas.

"Una vez quise ocupar el sitio más humillante y despreciado del mundo, y dispuse arrodillarme a los pies del mismo Judas, pero no pude, porque allí estaba Jesús en persona lavándole los pies" (San Roberto).

Cuando nos invitó a imitarlo no nos dijo que lo imitemos en su angelical pureza (porque sabe que no somos capaces) ni en su sabiduría inmensa (porque nuestra ignorancia es espantosa) ni en su poder de hacer milagros, (pues somos la debilidad en persona) sino en su humildad y mansedumbre: **"Aprendan de Mí, que soy manso y humilde de corazón".**

La paga de nuestros pecados la hizo a base de humillaciones nunca vistas. Vestido de loco lo pasearon por las calles, y cuando dispusieron matarlo, lo colocaron en medio de dos bandidos. Le escupieron la cara y lo coronaron como rey de burlas. Le dieron bofetones, y dijeron que preferían al asesino Barrabás antes que a El. Y mientras tanto callaba y no protestaba. Siendo Dios y creador de cielos y tierra se hizo el más humilde de los seres humanos, para pagar nuestras maldades.

Su personalidad es la humildad personificada. No se descubren en El rasgos de vanidad o exageraciones, ni actitudes de comediante. Nada que demuestre deseo de aparecer. Ni una sola pose para la galería. No cede al demonio de la falsa apariencia. Se niega a hacer milagros que lo glorifiquen con demasiada facilidad (por ej. echarse desde la parte más alta del templo). Con razón lo elevó su Padre Dios a la dignidad más grande que existe; y los cielos, la tierra y los infiernos doblan la rodilla ante El (Filip. 2).

Ningún hombre ha hablado como este hombre

Cuando los jefes de Israel enviaron a los policías a llevar preso a Jesús, estos hombres en vez de apresarlo se quedaron atónitos oyéndolo predicar, y cuando volvieron al palacio de los que los habían enviado, éstos les preguntaron: "¿Por qué no lo han traído?" -y la respuesta de los sencillos policías fue estupenda: *"Es que nunca un hombre ha hablado como habla este hombre"* (Jn. 7,46).

¿Qué otro ser humano ha podido decir delante de sus más encarnizados enemigos la famosa frase que Jesús gritó en medio de fariseos, saduceos y herodianos: *"Quién puede demostrar que yo haya cometido algún pecado?* (Jn. 8,46). Sólo Jesús, el totalmente santo, ha podido lanzar semejante desafío.

Con razón decía un santo: *"Al Padre Dios, al ver a Jesús, ya no le pesa haber creado a los seres humanos".* Dice la S. Biblia que en tiempos de Noé Dios se arrepintió de haber creado a los moradores humanos de la tierra, por lo corrompidos que se habían vuelto (Génesis 6,6) pero ahora al ver la perfección total y admirable de su Hijo amado, ya no le pesa más al Creador haber formado a la creatura humana.

Un modelo digno de imitar. Jesús es el único ejemplo de hombre totalmente digno de ser imitado. Los demás hombres son demasiado imperfectos para tomarlos como modelos. Jesús es imitable. Su ejemplo gusta, atrae y está en muchos aspectos a nuestro alcance (San Agustín). Y nosotros seremos tanto más amigos de Dios y agradables ante sus ojos, cuando más imitemos a su Hijo Jesucristo. *"Dios nos destinó para que seamos como su Hijo* y así un día tengamos parte en su gloria (Rom. 8,30). Por lo tanto si tratamos de asemejarnos al modo de ser y de obrar de nuestro Redentor, también un día tendremos la dicha de estar muy cerca de El en la gloria eterna.

Hagamos un retrato de Jesús, tal como aparece en los evangelios, y así sabremos cómo debe ser también nuestra propia vida. *Es pobre:* nace en una canoa de echar de comer a los animales (eso es un pesebre). Vive como un sencillo obrero, y viste tan pobremente que en el Huerto para distinguirlo de otros diez humildes campesinos tienen qué darle un beso. No tiene ni una piedra dónde reclinar su cabeza, y muere despojado hasta de su túnica y tiene que ser sepultado de limosna en un sepulcro ajeno.

Es manso. Es amable, no grita, no devuelve mal por mal, ni insulto por insulto. Ante el que lo golpea injustamente su reacción es casi imposible en un hombre ofendido tan gravemente. Invita generosamente a los que están pasando momentos difíciles y les dice: *"Vengan a Mí todos los que están cansados y agobiados, que Yo los aliviaré".* Su bondad de corazón atraía (y atrae) de un modo suave e irresistible. No desprecia a nadie. Recibe con amabilidad a los leprosos, a los pecadores, a los pobres, a los niños y a los enfermos y a todos los despreciados por la sociedad.

Es comprensivo. Su corazón se conmueve ante la miseria espiritual o material; oye siempre el clamor de los angustiados; ni un solo milagro lo hizo para hacer daño. ¿Y por qué se muestra tan excesivamente bondadoso? Porque lleva en su corazón el amor infinito de Dios. Ama como solo Dios sabe amar. Por eso promulgó la más generosa amnistía o perdón de culpas de todos los tiempos, y así ha obtenido ganarse el más numeroso grupo de corazones en tantos siglos y ha llenado el cielo de bienaventurados. Con razón los que lo acusaron ante Pilatos lo llamaron *"seductor del pueblo",* el que seduce, el que se lleva a las multitudes a seguirlo y obedecerlo. Porque *"a Jesús es imposible conocerlo y no amarlo.* Siempre seguirá cumpliendo aquella promesa: *"Yo atraeré a todos hacia Mí"* (Santo Tomás).

Es poderoso. Sus manos son acumuladores que al tocarlas con la fe estallan en milagros. Su poder de hacer milagros es una señal cierta de que sí es Dios.

Al despedirse el día de la Ascensión dijo: *"Todo poder se me ha dado en el cielo y en la tierra"* y esto lo viene demostrando día a día en todos los países del mundo. Nadie ha recurrido a su poder sin ser socorrido generosamente. Pero hay qué creer en su divinidad, porque si alguien se imagina que es sólo un hombre, se quedará a menos de mitad de camino en su aprecio al que es Hijo Unico de Dios, y no obtendrá los prodigios que habría podido conseguir si creyera en que El es Dios como el Padre y como el Espíritu Santo. Porque es Dios pudo decir *"Yo te perdono tus pecados"*, y alejó a los malos espíritus y curó instantáneamente a tantos enfermos graves, y anduvo sobre las aguas, y multiplicó los panes y los peces, y convirtió el agua en vino y el pan de la Eucaristía en su Cuerpo Santísimo y el Vino en su Sangre Preciosa. Y esto, sólo porque es Dios.

Un deseo de la Virgen. En una de las visiones, Santa Matilde le oyó decir a la Santísima Virgen: *"Mi mayor deseo es que la gente conozca y ame muchísimo a mi Divino Hijo"*. Y añadió: "Tanto cuanto lo han ofendido pecando, que lo desagravien amándolo". Son mensajes que a nosotros nos pueden hacer mucho bien.

Serias razones. Santa Juana Jugan decía: *"Yo amo y creo en Jesús, por lo que El es, por lo que El hace, y por lo que El dice"*. **Lo que El es:** Dios verdadero y verdadero hombre. El ser humano más perfecto que ha existido y existirá. **Lo que El hace:** Ha hecho y hace y hará maravillas en favor de los que lo aman, y de toda la humanidad. **Lo que ha dicho:** Ha dicho las enseñanzas más provechosas que se han escuchado en este mundo.

Los testamentos de Jesús. Se llama "testamento" la declaración de su última voluntad que hace una persona. Jesús antes de desaparecer visiblemente de esta tierra, nos dejó unos testamentos a cual más de importantes. Veamos cuáles son:

Testamento moral: "Amense los unos a los otros como Yo los he amado. En esto se conocerá que son mis discípulos: en que se aman unos a otros" (Jn. 17,23).

Testamento ascético (o de dominio de sí mismos). "Vigilen, estén atentos y oren para no caer en tentación. Porque el espíritu está pronto, pero la carne es débil" (Mat. 26,41).

Testamento sacramental: "Tomad y comed, esto es mi cuerpo. Tomad y bebed esta es mi sangre. Haced esto en memoria mía" (Mat. 26,26).

Testamento apostólico: Vayan por todo el mundo enseñando el evangelio, y bautizando en el nombre del Padre y del Hijo y del Espíritu Santo" (Marc. 16,16).

Testamento filial: "He ahí a tu madre", señalándonos a todos que nos deja a su propia Madre Santísima como madre nuestra (Jn. 19,27).

Jesús, horno de amor.

Hay qué amarlo, porque el nos amó primero.

Algo que emocionaba a San Pablo era pensar en esto: *"Jesús me amó y se sacrificó por mí"*. "¿Quién será capaz de apartarnos del

amor de Cristo? La tribulación, la angustia, los peligros? Nadie lo logrará (Rom. 8,35) *El amor de Cristo supera a todo conocimiento y a toda ponderación"* (Efes. 3,19).

Por eso San Alfonso decía: "Cristo me amó desde toda la eternidad. Justo es que yo lo ame también y que consagre a El todas mis acciones". Lo amamos no sólo por lo que ha hecho por nosotros, sino por el inmenso amor con que lo ha hecho.

San Juan de Avila firmaba: "Mucho sufrió Cristo por salvarnos, *pero más amó que padeció.* Mayor amor le quedaba encerrado en su corazón que el que demostró en sus heridas".

Y San Bernardo exclama: "Contemplo su horrorosa pasión y muerte y me pregunto: ¿Por qué ha sufrido todo esto? Y se me responde: por amor, por el amor inmenso que tiene a las almas". Todo lo ha hecho el amor de Jesús hacia nosotros, el amor que ha tenido y tiene por cada uno de los pecadores. Oh, si nos detuviéramos a pensar cuando miramos a Jesús crucificado, en el amor infinito que nos tuvo a cada uno! Recordemos que nos está amando continuamente y que desea le devolvamos amor por amor.

Jesús en el Apocalipsis. San Juan presenta a Jesús en el Apocalipsis (último libro de la S. Biblia) de la siguiente manera:

Con túnica de grandes ceremonias, porque es Sumo Sacerdote, Pontífice máximo.

Con cinturón de oro: porque es rey, Rey Universal.

Con cabellos blancos: porque es eterno, y existe desde todos los siglos.

Con ojos de fuego: porque penetra hasta lo más íntimo de la conciencia de cada uno, para darle a cada cual según sean sus obras.

Sus pies son de metal acrisolado: porque su seguridad es total. El es estable, e inconmovible.

Su voz es como la de muchas aguas: o sea: la fuerza de lo que El dice es de tal manera poderosa que nadie le podrá acallar ni silenciar.

Jesús en el Apocalipsis aparece como "El Rey de reyes, y Señor de señores. Cuando él abre nadie puede cerrar y cuando El cierra, nadie puede abrir. Digno para siempre de respeto, amor y admiración.

El nombre de Jesús

Un autor dice que de todas las frases del evangelio la que más le ha impresionado es aquella que explica el significado del nombre de Jesús, cuando el ángel dice: *"Le pondrás por nombre Jesús, porque El salvará al pueblo de sus pecados"* (Mat. 1,21). Esto es, una noticia sensacional: que Jesucristo ha sido enviado a salvarnos de nuestros pecados. Por lo tanto tenemos una gran esperanza. Si queremos dejarnos salvar por El, seremos salvados por El. Por eso una santa decía: "Basta con que le digas a Jesús que necesitas ser perdonado, El tiene buena memoria.

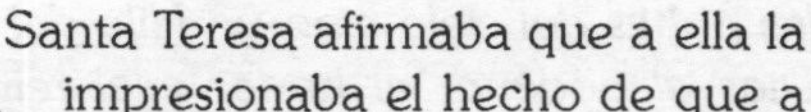

Santa Teresa afirmaba que a ella la impresionaba el hecho de que a San Pablo el nombre de Jesús no se le iba de los labios. Lo decía para todo. Así por ej. en los diez primeros renglones de su Carta a los Efesios, nombra diez veces a Jesús. Y en sus cartas lo nombra muchas veces. Lo mismo hace San Juan el cual repite el nombre de Jesús continuamente. En los escritos de Santa Catalina se encuentra más de tres mil veces el nombre de Jesús. Es que este es el nombre más dulce, más esperanzador, y más santo que puedan pronunciar labios humanos. Por eso también nosotros deberíamos repetirlo muchísimas veces en nuestra vida. Un gran predicador decía que él había experimentado durante toda su larga vida de apostolado, que el repetir el nombre de Jesús aleja muchos males y atrae inmensos bienes. *"No hay bajo el cielo otro nombre por el cual podamos ser salvados"* decía San Pedro (Hech. 4,12).

Hijo del hombre. Es un título empleado más de 90 veces por el profeta Ezequiel, y con este título señala el profeta Daniel a alguien al cual Dios le ha concedido inmensos poderes. Dice así: *"Entre las nubes del cielo vino un Hijo del hombre, y a él le concedió Dios el poderío, el honor y el reino, y todos los pueblos le obedecerán. Su reino es un reinado eterno que nunca se acabará; su reinado no será destruido jamás"* (Dn. 7).

Jesús se llamó muchas veces a sí mismo "Hijo del hombre". Nadie más en el evangelio lo llama así, sino solo El. Con este título quería recordar a los entendidos los grandes poderes que Dios le había concedido, pero no había peligro de que en el pueblo se suscitaran exagerados entusiasmos, porque esas gentes sencillas poco comprendían el significado de tal nombre. Pero para nosotros sí dice mucho. Es como la repetición de aquel anuncio que hizo el ángel en el día de su anunciación: *"Su reino no tendrá fin"* (Luc. 1,33).

Hijo de Dios. Los evangelios emplean 45 veces el título de "Hijo de Dios" para nombrar a Jesús. Cuando Caifás le preguntó: *"¿Tú eres el hijo de Dios?"* -Jesús dio una respuesta que le iba a costar la muerte: *"Sí, lo soy".* Si hubiera dicho que no lo era, quizás lo habrían soltado como a cualquier místico popular, pero con esta respuesta se consiguió su crucifixión. Prefirió morir crucificado, antes de dejar de afirmar que sí es el Hijo de Dios, porque lo es. Y esa es su más grande y maravillosa gloria.

Maestro. La gente lo llamaba así, con cariñoso respeto, y hasta sus enemigos le concedieron ese título, porque su capacidad de enseñar era indiscutible y portentosa. Y El mismo se dio ese título diciendo: *"Me llaman Maestro, y en verdad que lo soy"* (Jn. 13,13). Durante 20 siglos ha sido llamado "Maestro, Divino

Maestro» y por toda la historia de la humanidad se le seguirá dando ese título, porque nadie en el mundo logrará enseñar verdades tan santas y de manera tan impresionante, como lo ha hecho y la hará siempre Jesús.

Digámosle con el poeta:

¿Qué quiero mi Jesús?
Quiero quererte.
Quiero cuanto hay en mí del todo darte.
Sin tener más placer que el agradarte.
Sin tener más temor que el ofenderte.
(CALDERON DE LA BARCA)

Jesús: eternamente yo te ame.
Jesús: a todas horas yo te nombre
Jesús: en mis conflictos, a Ti clame.

- 16 -

¿QUIERE SER FELIZ?

CONTROLE SU LENGUA

"Señor: que te sean agradables las palabras de mi boca" (Salmo 19).

La respuesta de Esopo. Dicen que al fabulista Esopo (que vivió 500 años antes de Jesucristo y escribió más de cien fábulas famosas) lo envió un día su amo el rey Creso, al mercado a que le trajera lo mejor y más provechoso que encontrara. Esopo volvió trayendo una libra de lengua. Luego lo volvió a enviar su amo a que le trajera del mercado lo peor y más dañino que allí encontrara y el fabulista volvió trayendo otra libra de lengua. Preguntado por el por qué de esto, respondió: "Es que lo mejor y más provechoso que existe es la lengua, pero ella puede ser también lo peor y más dañino. Todo depende del modo como se la emplee".

Con razón decía Jesús: *"Por tus palabras te salvarás o por tus palabras te condenarás"* (Mat. 12,37). Del modo de hablar de una persona se puede deducir cuál es su comportamiento moral.

El método de Sócrates. Este gran filósofo cuando quería saber cómo era la personalidad de alguno de sus alumnos se fijaba mucho en su modo de hablar. Y a alguno que le pedía que le dijera cómo era su carácter le decía: "Hable, para que yo logre conocer cómo es su personalidad".

UN PROGRAMA FORMIDABLE

San Francisco de Sales gran formador de personalidades, presentaba este programa acerca del buen uso de la lengua:

Hablar poco. Hablar sólo de cosas buenas. Y no hablar de lo malo

1o. HABLAR POCO. Los sicólogos dicen: "Quien se desmanda en el hablar, se desmandará también en el obrar. Quien no es capaz de poner freno a su lengua, tampoco será capaz de ponerles freno a algunos de sus malos instintos".

El Libro del Eclesiastés aconseja: "Sean pocas tus palabras", y los grandes maestros espirituales recomiendan: "Hablen menos y serán más felices".

Un programa de los Proverbios

De todos los libros de la S. Biblia, uno de los más bellos, provechosos y fáciles es el de los Proverbios. Es la delicia de los lectores. Y allí en los capítulos 20 al 27 se hace toda una programación de cómo debe ser el uso que se le da a la lengua. Recordemos algunas de sus frases más conocidas:

"Toda labor enriquece, pero la charlatanería empobrece".
"No hay qué ser precipitado en el hablar".
"De las muchas palabras nacen los despropósitos".
"Para los imprudentes, la lengua es su ruina"
"Quien tiene prudencia sabe callar"
"La persona imprudente, habla sin más ni más".
"Quien al hablar guarda medida, conseguirá la estimación de los demás.
"Pero quien habla y habla, adquiere antipatía.
"Así como a la finca se le pone cerca y a la casa cerraduras, también a la lengua y a los labios hay qué ponerles freno para evitar peligros".
"No acostumbremos la lengua a una dañosa y exagerada libertad.
"El fuego del horno prueban qué calidad tiene lo que allí se echa. Y la conversación prueba cómo es la persona que la dice".
"Quien es prudente se calla. El imprudente habla contra los demás".
"Quien guarda su boca, guarda su vida. *Quien mucho abre sus labios, busca su ruina".*
"El que tiene sabiduría es muy medido en sus palabras".
"Quien controla su lengua se libra de muchas angustias".

Estas hermosas frases del libro de los Proverbios han sido de gran provecho para millones de lectores por más de 24 siglos. Y lo serán también para nosotros si las leemos y releemos con deseo de ser mejores y cumplirlas.

Una frase impactante. El Apóstol Santiago en su bella carta, ha dejado una frase que se ha hecho famosa. Después de advertir que toda persona prudente debe ser *"pronta para escuchar y* *lenta para responder"* añade una noticia que es una verdadera joya de santo atrevimiento. Dice así: *"Si alguien se imagina tener religiosidad pero no domina su lengua, su religión es vana"* (Sant. 1,26). Esta frase es de la Biblia y no puede no ser verdad. Por eso conviene meditarla despacio, porque es demasiado importante para que se nos vaya a olvidar.

Mal negocio. Dicen los entendidos que el mucho hablar disipa el corazón y afecta los sentimientos. Que el hablar y hablar sin medida puede fatigar al alma como fatiga al cuerpo el tener que estar subiendo por una escalera con bultos pesados.

Así como un perfume si lo dejan destapado se evapora, así la lengua sin control evapora las energías espirituales.

Cuidado con la charlatanería

Quien parlotea sin cesar, dando la impresión de que jamás va a dejar de hablar, pulveriza la resistencia de su interlocutor y le hace perder el interés por su charla. "Vamos a dormir, que la visita se quiere ir", es lo que dicen cuando los asistentes no ven la hora de deshacerse de un charlista incansable (De uno decían: "Es tal la falta de silencio interior que tiene, que si se calla le salen letreros en la frente"). Muchas reuniones se arruinan cuando alguien monopoliza la palabra, o su charla supera la extensión que los demás están dispuestos a tolerar. Quien habla hasta por los codos, no logra dejar una buena impresión. En la Sagrada Escritura se repite que la verdadera sabiduría se manifiesta en dominar la lengua y dominar los instintos.

El neurótico habla y habla sin cesar, como si le hubieran dado cuerda. De una señora decía la gente que la habían vacunado con una aguja de tocadiscos, y de un charlatán afirmaban sus amigos que lo habían criado con caldo de lengua. A uno que hablaba y hablaba se le cayó la caja de dientes y un niño preguntó a la mamá: "¿Por qué se calló ese señor?" -y ella le respondió: "Es que se le salió el casette".

El mal de Sancho. Cuando Don Quijote regañaba a Sancho Panza por hablar sin pensar, el sencillo escudero le explicaba diciendo:

"En mí el deseo de hablar me viene del primer impulso, y cuando me viene la gana de hablar, no soy capaz de dejar de decir ni siquiera una sola vez lo que me llega a la lengua". Lástima que nosotros muchas veces procedemos como Sancho Panza: no dejamos de decir nada de lo que se nos viene en gana decir.

Dejar hablar. Lo que vamos a decir ya lo sabemos, pero podemos perder lo bueno que el otro nos iba a decir.

"Convenzámonos de que los otros no tienen tanto placer en escucharnos como el que nosotros sentimos en hablar (Antístenes).

Para tener personalidad, mi primer consejo es dominar los impulsos: dejar de ver, dejar de comer algo... dejar de... hablar...". Esto no lo dijo un santo Padre de la Iglesia, esto lo dijo el fundador del sicoanálisis, el Sr. Freud.

Consejo de principiante. Cuando el joven San Dositeo le pidió al veterano y venerable San Doroteo que le diera un consejo para obtener el dominio de sí mismo, el anciano monje le dijo: *"Ante todo, empiece por dominar y mortificar su lengua"* (Buttler).

Con las palabras
que decimos,
perdemos
más amigos,
que los que
ganamos con
las obras
que hacemos.

Triste final. De un personaje muy charlatán decían con humor: "Atravesó victorioso ríos, mares y tempestades y terminó... ahogándose en saliva".

Las declaraciones de un ejecutivo

Bernard Schaw ha sido uno de los más exitosos ejecutivos modernos, y él dejó escrito lo siguiente: (que recomendamos leer con atención porque vale la pena).

"El secreto de hablar no consiste en vomitar palabras (San Bernardo decía: "que las palabras no salgan a manera de vómito incontenible"). El secreto de hablar consiste en decir cosas interesantes pero con el menor número de palabras que sea posible. "Quien habla demasiado deja en el otro la impresión de que le está quitando el tiempo, y a nadie le gusta que le quiten el tiempo, aunque no tenga nada qué hacer.

"El clásico charlatán empieza hablando de un tema, pasa a otro y otro, y adormece al que le está escuchando

"Hay charlatanes temibles. Esta gente es temida, porque la gente sabe que cuando empiezan a hablar se desencadena un huracán de palabras de las cuales no será posible sacar en limpio nada importante.

"La persona charlatana destroza los nervios, y con esto se puede dejar una pésima impresión en los demás.

"El vicio de hablar demasiado diluye el talento en un mar de palabras. Pierde imagen con su fama de charlatán insoportable, y le hace adquirir una imagen de verborrea empalagosa y adormecedora. Deberíamos repetir con el salmo 39: "Vigilaré mi proceder para que no se me vaya la lengua. Oh Dios te pido que coloques un freno a mi lengua y un candado a mis labios".

EL SILENCIO. El evangelio repite esta bella frase: *"Y Jesús callaba"*. Callaba cuando le inventaban calumnias. Callaba cuando lo escupían. Callaba cuando lo humillaban. Qué hermoso que de cada uno de nosotros puedan decir los que recuerden nuestro comportamiento: *"Callaba,* cuando le insultaban. *Callaba* cuando le llegaban deseos de murmurar o de mentir o de hablar de sí mismo. *Callaba* cuando le inventaban lo que no había hecho". Eso sí qué sería un modo bien simpático de imitar el modo de obrar de nuestro Divino Maestro.

San Benito, el fundador de los primeros monasterios, puso en el reglamento de sus monjes: *"El silencio ayuda mucho para conseguir la santidad.*

San Vicente afirmaba: *"Yo no creo en la santidad y en la mortificación de una persona si no sabe guardar silencio a su debido tiempo".*

Los especialistas en la formación del carácter recomiendan el saber callar lo indebido que se quería decir, como un método muy eficaz para obtener fuerza de voluntad.

Lipsis decía: *"Yo no he conocido a una persona que sea al mismo tiempo muy santa y muy charlatana"*. El saber callar evita decir muchas necedades y esto ya es una gran ventaja.

Los recuerdos finales. A un gran poeta español le preguntaron los periodistas al cumplir sus 90 años: "¿Qué es lo que más le remuerde y le entristece de su vida pasada?". Y respondió: *"El haber hablado lo que no debía"*.

Muchas de nuestras penas provienen de haber hablado más de lo necesario.

2o. HABLAR COSAS BUENAS

No basta con callar, porque entonces las piedras llegarían a la santidad y los peces y los animales mudos serían santos. *Es necesario que lo que decimos sea algo mejor que el silencio.*

San Francisco de Sales prevenía acerca de un gran peligro para el trato social, el que por querer ser perfecto se convierta uno en un mudo que no habla nada. Esos que no le dan ninguna importancia a lo que hablan los demás se hacen tan antipáticos como una estatua sentada en la mesa de un banquete. (Invitados de piedra, los llama la gente).

Hablar poco significa no decir cosas inútiles. San Jerónimo dice que cuando Cristo afirmó: *"De toda palabra ociosa se os tomará cuenta"*, entendía por "palabra ociosa" la que no es útil para el que la dice ni para los que la escuchan. Pero hablar poco no es quedarse completamente callado sin darle importancia a la conversación. Eso entristece la vida de los demás. San Francisco recomendaba a sus discípulos que en el trato fueran moderadamente alegres y joviales y no aparecieran nunca tristes ni desabridos. El ser demasiado callados nos puede hacer aparecer como orgullosos, despreciativos y faltos de interés y de confianza hacia los demás.

Quien tiene un comportamiento demasiado callado puede hacerse antipático ante los otros. San Felipe Neri siempre era jocoso y agradable en su conversación, aunque a veces por hacer más alegre su charla llegaba hasta a decir boberías. Pero no quería aparecer como un santo triste, porque eso desprestigia la santidad y la religión.

Hablemos bien de la gente, ¿para qué dejar para hablar bien de las personas cuando ya están muertas? ¿Por qué no hacerlo mientras aún están entre nosotros? Nadie dice de un difunto: "Ese sí que era un perfecto patán... o una bestia completa". Aprendamos de los elogios mortuorios. Hablemos de los vivos así de bien como hablamos de los muertos.

Hablemos suavemente. De un jefe conflictivo decían los súbditos: "Lo que choca y disgusta es el tono de su voz. Tiene un tono autoritario y duro. Si hablara con un tono amigable le haríamos caso con mayor gusto. Nos desagrada su tono seco y nada amable". Mucho depende del tono con el que decimos las cosas. Que nuestro tono sea afable, fino, agradable. Y haremos más felices a los demás y seremos también más felices nosotros.

Huir de los extremos. Que el tono no sea ni rudo, ni empalagosamente cordial. Cualquier exageración es dañosa y puede tener una reacción desagradable en el interlocutor. Que el tono sea amistoso y acogedor. Eso gana la simpatía de los otros. Nada tan desagradable como un tono duro y áspero.

Que el tono de la voz no sea frío. Hay qué tener cuidado porque la gente se da cuenta enseguida si nuestro tono denota un estado de ánimo disgustado y frío y con emociones desagradables.

SI ALGUIEN NO PECA CON SU LENGUA, ES PERSONA PERFECTA, CAPAZ DE DOMINAR TODO SU CUERPO

(S. BIBLIA SANT. 3)

Que al oírnos hablar sientan que en verdad tenemos entusiasmo y buena voluntad. Eso alegra mucho.

Hablar con suavidad. Que la otra persona no se sienta disminuida. Demostremos aprecio por los méritos ajenos. Digamos: "Yo sé que Ud. sí es capaz de hacer esto". Hablemos con tono cordial, amistoso, suave, atrayente.

Al corregir digamos: "Yo también he cometido muchos errores; todos nos equivocamos muchas veces", etc.... Tratemos a los interlocutores como amigos, con el respeto con el que se trata a un hijo de Dios, a un heredero del cielo y hermano de Jesucristo.Kennedy decía: *"Para ganarse a la gente hay qué cuidar muy bien qué es lo que se dice, y la manera como se le dice"*.

Hay que apelar al valor del aprecio que cada persona siente por sí misma. Subrayar sus cualidades, demostrarles que los apreciamos. Emplear palabras que reflejen nuestro aprecio y confianza. Tratar bien con buenas palabras a todos.

Don Quijote aconsejaba: "Si castigamos con obras, no castiguemos con palabras".

3o. NO HABLAR DE LO MALO. La S. Biblia dice: *"La lengua murmuradora será odiada por Dios y por la gente"*. Que es odiada por la gente, ya lo sabíamos, pero lo más grave es que es odiada también por Dios. Y esa puede ser nuestra lengua. ¡Qué terrible!

San Juan Bosco repetía: *"De los demás o se habla bien o no se habla"*. Formidable programa de conducta, para no olvidarlo nunca! Pero, para hablar bien de los demás es necesario pensar bien de ellos, porque Jesús decía: *"¿Cómo quieren hablar bien, si son malos? De la abundancia del corazón hablan los labios"* (Mat. 12).

Si pensamos mal de los otros, hablaremos mal de ellos. Hay gente que dice: «Yo critico y murmuro, pero no les siento desprecio». Eso es un sofisma (o verdad aparente) porque la palabra antes de llegar a la lengua pasa por el cerebro. Si vive criticando y murmurando, ello es señal de que vive condenando a los demás en su cerebro; que ha colocado un tribunal en su cabeza y desde allí vive lanzando sentencias condenatorias. De lo que está llena la mente, de eso es que hablan los labios. Si hablamos mal de alguien es que pensamos mal de esa persona y entonces estamos desobedeciendo el mandato del evangelio que dice: *"No juzguen, y no serán juzgados. No condenen, y no serán condenados"* (Mat. 7,1).

Un refrán muy antiguo dice: *"El que con nosotros habla mal de otros, con otros hablará mal de nosotros"*. Qué agradable se hace la persona que no hace peligrar nuestra fama!

El salmo 141 afirma de ciertas lenguas que "son como espadas afiladas que van picadillando famas ajenas, y como veneno de víboras que mata sin compasión el buen nombre de los demás" Dios nos libre de llegar a pertenecer a ese grupo tan peligroso!

Buena costumbre. Algunas personas tienen esta bella costumbre: cuando comulgan, mientras todavía tienen la santa hostia en la lengua, le piden el Señor la gracia de no ofender a Dios con la lengua. Otros repiten muy frecuentemente la frase del salmo 19: *"Señor: que te sean agradables las palabras de mi boca"*

Es necesario examinarse de vez en cuando y preguntarse: "¿Mis palabras estarán haciendo bien o mal? ¿En verdad estará contento el buen Dios del uso que le estoy dando a mi lengua?

El Apóstol Santiago escribió esta preciosa frase: *"Quien domina su lengua es persona que ha llegado a la perfección"* (Sant. 3,2).

No hagamos de los demás un muro de lamentaciones para vivir contándoles nuestras amarguras y hablándoles de nuestros problemas y de lo dura que es la vida. Eso puede obtenernos más desprecio que cariño.

Cuidado con las discusiones. Después de cada discusión quedan ambas personas con cierta dosis de disgusto y puede apagarse mucho la amistad.

Hablar muy poco de sí mismo. Porque al hablar de sí mismo casi siempre se exagera, se falta a la verdad y se deja uno llevar por la vanidad. Hablar de sí mismo es tan peligroso como andar sobre una cuerda floja y alta. Se cae uno cuando menos lo piensa. Hablemos lo menos posible de nosotros mismos y cuando lo vamos a hacer preguntémonos si en verdad la conciencia nos aconseja que lo hagamos (Baudemon).

Mis secretos: Si los callo se quedan encerrados en un cofre. Si los cuento, quedan expuestos en la plaza pública (Masferrer).

Si antes de hablar con los seres humanos, hablo primero con Dios, tendré qué arrepentirme menos después de lo que he dicho. Lo que digo hoy, puede ser mi cadena mañana. Somos dueños de las palabras que callamos y esclavos de las palabras que decimos. **"Señor: ¡enséñanos a hablar y callar!**

SI ALGUIEN
CREE SER
PERSONA
RELIGIOSA
Y NO DOMINA
SU LENGUA
SE ENGAÑA
Y SU RELIGION
ES VANA

Biblia - Santiago

- 17 -

¿QUIERE SER FELIZ?

REPARTA LIMOSNAS

***Dichoso será quien se esmera por ayudar al pobre y al necesitado. Cuando a él lleguen los días malos, el Señor Dios lo ayudará"* (Salmo 41).**

EL DESTINO FINAL

Jesucristo anunció que al final de la vida, cuando las gentes de todos los tiempos y países reciban la sentencia que les dirá si van a tener dicha eterna o desgracia para siempre, esta sentencia dependerá de si ayudaron o no a los que necesitaban de sus limosnas y colaboraciones. Y dijo que a los que vivan regalando ropa a los pobres, y alimento a los que no tienen con qué comprar comida, y los que visitan a los enfermos, y ayudan a los presos y buscan hospedaje para los sin techo, que a esos les va a decir: *"Vengan benditos de mi Padre, a poseer el Reino preparado desde todos los siglos"* (Mat. 25,40). Ninguna frase podremos oír jamás que nos haga más felices que ésta. Pero luego anunció que a quienes se nieguen a dar comida a los que sufren hambre y no quieran regalar ropa a los pobres, y no visiten enfermos, ni ayuden a los presos, ni ayuden a darles hospedaje a los sin techo, que a esa clasesita de gente le va a decir esta terribilísima sentencia: *"Vayan malditos al fuego eterno, preparado para el diablo y los que lo siguen"* (Mat. 25,42). Dios nos libre de tener que oír algún día tan espantosa sentencia!

Así que la felicidad eterna o la eterna infelicidad va a depender en buena parte de lo generosos o tacaños que hayamos sido en ayudar a los necesitados.

Cada uno de nosotros va a estar en el día del Juicio en uno de esos dos grupos: o en el grupo de los que van a ir a ser felices para siempre en el cielo por haber ayudado generosamente a los necesitados, o en el grupo de los que irán a la desdicha eterna por no haber querido dar ayudas a los que las necesitaban. ¿En cuál de estos dos grupos estaré yo en ese día definitivo? ¿En cuál Señor? Esto es de vida o muerte, y tengo qué saber escoger muy bien desde ahora.

El grito de San Vicente. Cuando el gran predicador san Vicente Ferrer hablaba acerca de la grave obligación que tenemos de ser generosos con los necesitados, gritaba: "Los que quieren ir al cielo, y ser felices para siempre, *que se coloquen en el lado derecho"*. Y las gentes corrían hacia el lado derecho del templo, pero el predicador añadía: "Lo importante no es colocarse en el lado derecho del templo, sino al lado derecho de Jesucristo, y esto sólo se consigue colaborando generosamente con los que necesitan de nuestras ayudas y limosnas. Y cada persona se coloca al lado derecho del Divino Juez cada vez que ayuda a los necesitados"... ¿Me voy a colocar al lado derecho de Cristo, dando limosnas y ayudas a los que están pasando momentos de dificultad? ¿Lo voy a empezar a hacer desde ahora mismo? Quiera Dios que sí lo logre hacer, y muy generosamente.

Uno que tuvo un final muy desdichado

Jesús narró una parábola impresionante. Contó que un rico (al cual llamaban Epulón, nombre que significa el que come mucho) no le importaba sino pasarla bien él con sus amigotes; comer sabroso, vestir con lujo y darse todos los gustos, y en cambio no se interesaba lo más mínimo por ayudar al pobre Lázaro, un llaguiento que se moría de hambre en las mismas puertas del lujoso edificio donde el rico vivía. Pero sucedió que se murieron al tiempo el rico y el pobre, y mientras el Epulón fue enviado a las llamas del infierno por no haber querido auxiliar a los necesitados, el pobre Lázaro fue colocado al lado del mismo Patriarca Abraham en el cielo. Y cuando el rico pidió a Abraham que enviara un mensajero a la tierra a decirle a sus hermanos ricos que no fueran a repetir el error fatal que él cometió al no querer socorrer a los necesitados, el santo Patriarca le dijo: "Basta con que lean lo que escribió Moisés y lo que escribieron los profetas". ¿Y qué fue lo que escribieron Moisés y los profetas? Pues esto precisamente: ***"Comparta su pan con los necesitados. Ayude al huérfano y a las viudas. Sea misericordioso con los pobres. No cierre sus oídos a las peticiones del que sufre".***

Y lo curioso es que a este rico no se le envió al infierno por haber cometido grandes pecados o crímenes, sino por no haber querido ayudar al necesitado. Esto nos debe hacer pensar muy seriamente.

Una voz en la noche. Otra de las bellísimas parábolas narradas por Jesús, cuenta que un hombre rico tuvo unas abundantísimas cosechas, y en vez de pensar en repartir lo sobrante entre los pobres, hambrientos, huérfanos, viudas y demás personas que estuvieran en grave necesidad, lo que se le ocurrió fue construir unos depósitos más grandes para guardar allí todas sus cosechas y dedicarse a la buena vida, a comer, beber y a pasarla bien. Y en esa noche una voz del cielo le dijo: *"Imprudente: todo eso que amontonó, ¿para quién va a ser? ¿No sabe que esta misma noche le van a tomar cuenta de su vida?* (Luc. 12) Y cuando fueron a despertarlo a la mañana siguiente, lo encontraron muerto.

Cuánto más feliz en la vida terrenal y en la eternidad habría sido este hombre, si en vez de dedicarse a amontonar y almacenar bienes, se hubiera dedicado a repartir entre los pobres todo lo que le sobraba. Ellos hubieran rogado por él y Dios en cambio le habría enviado ayudas en esta tierra y le concedería un espléndido puesto en el Paraíso Eterno. Pero todo esto se perdió por no querer compartir los propios bienes con los que necesitaban su ayuda.

Grave noticia. Dios le dijo a Moisés: *"Si alguien se niega a darle al pobre las ayudas que el otro necesita* estando en capacidad de proporcionárselas, *ese pobre me invocará a Mí, y yo castigaré a quien no quiso ayudar* (Exod. 22,22). *Pero si ayudan generosamente a los necesitados, Yahveh Dios les bendecirá en todas sus empresas* (Deut. 23,21). Son frases como para recordar, pues nos están diciendo que de las ayudas que ofrezcamos a los que están pasando momentos difíciles puede depender en gran manera nuestra felicidad y los premios que nos lleguen desde el cielo.

Los consejos de San Juan Bautista. Cuando los pecadores llegaban al río Jordán a que Juan Bautista los bautizara, le preguntaban: "¿Qué penitencias debemos ofrecer a Dios para que nos perdone las deudas que le tenemos a El?", y el santo profeta les respondía: *"Quien tenga ropa suficiente, regale vestidos a quienes son pobres. Y quien tiene comida, regale alimentos a los que sufren escasez"* (Luc. 10,11). Preguntémonos: ¿Sí estamos nosotros ofreciéndole a Dios estos dos regalos como parte del pago por tan enormes deudas que tenemos con El?. San Agustín repetía: *"Estas condiciones son fáciles, pero son indispensables.* No es difícil cumplirlas, pero es absolutamente necesario no dejar de practicarlas". Señor Dios: que no las olvidemos y que nunca dejemos de practicar estas dos peticiones del gran profeta: repartir vestidos a los pobres y alimentos a los que sufren escasez (NOTA: Pero no ropas en mal estado o alimentos en descomposición. Eso sería un vulgar insulto a esos hijos de Dios. Si lo que vamos a regalar no vale la pena, no lo regalemos nunca!).

Las noticias que lograron conmover

Cuenta un norteamericano en su "Autobiografía" que una vez en su barrio anunciaron que iba a llegar un famoso misionero a pedir ayudas para las misiones, y propagaron la noticia de que aquel predicador tenía un modo muy especial de conmover hasta a los más duros. Nuestro hombre y un amigo suyo se fueron a escucharlo, pero el otro dijo: "Yo no llevo dinero, porque no me quiero dejar estafar por ese tal predicador". El primero en cambio se llevó un fajo de billetes, por si acaso. Y el misionero les habló de la siguiente forma:

"Hoy únicamente vengo a contarles CUATRO NOTICIAS. Y cada cual trate de sacar por su propia cuenta las consecuencias.

Primera noticia: Jesús prometió que a quien dé algo para El y su religión, *le devolverá en cambio cien veces más* (Mat. 19,29). Al oír esta noticia, aquel hombre apartó 5 billetes diciéndose: "multiplicados por cien, serán 500 billetes. No está mal".

Segunda noticia. El predicador siguió diciendo: "Cristo ha dicho que *Dios empleará con cada uno, para devolverle, la medida que cada cual haya empleado para darle a El* (Luc. 6,38). Así que si le damos con cuenta-gotas, El nos devolverá con cuenta-gotas también, pero si le damos a montones, nos devolverá también a montones". El hombre pensó al oír eso: "Quiero dar en abundancia para Dios, para que El me devuelva también con abundancia" y apartó otros cinco billetes para donar para las Misiones.

Tercera noticia: Añadió el misionero. «Dijo Tobías en la Biblia: *La limosna borra multitud de pecados"*. Así que cada uno piense qué tanta multitud de pecados quiere que le sean perdonados. No olviden que la caridad cubre multitud de pecados (1 Pedr. 4,8). Ante esta bella noticia nuestro hombre sacó otros billetes y se dijo: "Yo sí tengo multitud de pecados que necesito que me sean perdonados. Voy a aprovechar esta ocasión que se me presenta".

Cuarta noticia. El misionero terminó diciendo: "Jesús nos dejó esta hermosísima promesa: *Den limosna, y todo quedará puro para su vida*" (Luc. 11,41). Aquel oyente se entusiasmó al escuchar tan consoladora noticia y se dijo: "Lo mejor que me puede suceder es que todo quede puro y purificado en mi vida; por lo tanto voy a dar todo lo que traje, porque esto es demasiado importante para mí, y no quiero dejar de hacerlo".

Conclusión inesperada. Ya estaba nuestro amigo listo para entregar al misionero todo el dinero que había llevado, cuando el compañero que había afirmado que no llevaría dinero para no dejarse estafar, se le acercó y le dijo: "Por favor: présteme unos cuantos billetes, porque estas cuatro noticias que acaba de dar el predicador son supremamente interesantes para mí: que Dios devuelve cien veces más; que con la medida con que le demos a El, nos devuelve a nosotros; que la limosna borra multitud de pecados, y que si damos limosnas, todo quedará puro en nuestra vida. Esto sí que es emocionante".

Y aquellos dos hombres ayudaron con mucha generosidad al misionero, y seguramente que desde el cielo el buen Dios empezó a ayudarles desde ese día mucho más que antes.

¿Qué conclusión sacaremos de este histórico ejemplo para nuestra propia vida?

La respuesta de Daniel. Cuenta la S. Biblia que cuando Dios anunció al rey Nabucodonosor que le iba a enviar tremendos castigos por sus pecados, el rey le suplicó al profeta Daniel que le preguntara a Nuestro Señor qué debía hacer para evitar esos castigos. Y la respuesta del cielo fue la siguiente: *"Borre sus pecados con ayudas a los pobres; pague sus maldades con limosnas a los necesitados"* (Dan. 4,24). Las palabras de la S. Biblia no fueron dichas para una sola persona, ni para una sola época, sino para personas de todos los tiempos. Consideremos este bellísimo consejo del Profeta Daniel, como dicho expresamente para cada uno de nosotros. "Borrar nuestros pecados con ayudas a los pobres; pagar nuestras maldades con limosnas a los necesitados". Qué magnífica oportunidad para ir cancelando las enormes deudas que tenemos con la Justicia Divina.

"En nuestro libro de cuentas hay muchos pecados que tenemos qué pagar. Pero *Dios nos ha dado un borrador maravilloso para ir borrando estas deudas; la limosna a los pobres.* Aprovechemos esa magnífica ocasión que nos ofrece la Justicia Divina (San Juan Crisóstomo).

Un sueño desanimador. Contaba un bienhechor de los pobres que en su juventud tuvo un sueño que lo desanimó mucho. Vio que se presentaba ante Dios con las manos limpias de pecados, pero que un ángel le decía: "No se le pueden aceptar esas manos, pues aunque tienen la cualidad de que *están limpias* de pecados, sin embargo tienen el enorme defecto de que *están vacías* de obras de caridad". Y decía aquel hombre que desde esa fecha se propuso dar y dar cuanto más pudiera, para que no le fuera a suceder que en el día del Juicio aunque sus manos estuvieran *limpias* de pecados, no se las aceptaran por estar *vacías* de obras de caridad hacia los pobres. Miremos por un momento nuestras manos: ¿están *limpias de pecados?* Quizás no. Y es una lástima!

¿Pero estarán *vacías* de obras de caridad? Sería una falla inmensa. Sin embargo todavía tenemos tiempo para empezar a llenarlas desde hoy de ayudas generosas a los que están pasando necesidad.

Otro sueño aun más miedoso

Ya dijimos que San Juan Bosco tuvo en su vida unos 159 sueños misteriosos, en los cuales recibía mensajes celestiales y conocía el futuro de manera portentosa e inexplicable. Más que sueños, casi se podrían llamar revelaciones o visiones. Y este simpático apóstol hablaba muy fuerte a la gente acerca de la grave necesidad y obligación que cada persona tiene de dar limosna según sus posibilidades. A los ricos les decía: "Si ahora no dan de buena voluntad, un día tendrán qué dar pero ya a la fuerza, ante la amenaza del puñal de un asesino o ante el peligro de unos secuestradores o atracadores". El insistía que la limosna debe ser algo que a uno le cueste, y no migajas y sobras que no empobrecen en nada a quien las da. Pero resultó que los envidiosos lo acusaron a Roma afirmando que insistía demasiado acerca del deber gravísimo que todos tenemos de ayudar a los necesitados, y el santo, por susto se calló por unos meses respecto a este tema. Y entonces intervino el cielo por medio de uno de sus Sueños, y vio que la Virgen Santísima se le aparecía y le decía: "Juan, Juan, ¿por qué no hablas más acerca de lo importante que es dar limosnas?".

-Señora -le dijo él- es que me están acusando de que yo insisto demasiado en esto de que hay que dar limosna y dar algo que a uno le cueste.

Y la Virgen, con rostro supremamente serio le respondió:

-¿Y no sabe, que *aunque uno sea sacerdote, si no da limosnas se puede condenar?*

El santo se despertó llorando, y al día siguiente mandó a su secretario que se dedicara a conseguir cuantos más datos pudiera acerca de la grave obligación que todos tenemos de socorrer con nuestras limosnas a los necesitados, y al año siguiente apareció el bello libro titulado: *"Cómo hacerse rico* (para el cielo) *dando limosnas* (en la tierra)", cuya lectura recomendamos porque hace un gran bien a quien lo lea (Se consigue donde venden este libro que el lector está leyendo).

Un encargo de los Apóstoles

Cuenta San Pablo que cuando él se despidió de los Apóstoles Pedro, Santiago y Juan, el encargo que ellos le hicieron fue éste: *"No olvidarse de recoger ayudas para los pobres"*, y añade que él se preocupó siempre por cumplir muy exactamente esta recomendación de los tres santos apóstoles (Gal. 2,10). Ojalá consideremos como dichas para cada uno de nosotros esta santa recomendación: "No olvidarse de recoger ayudas para los pobres".

En la S. Biblia hay frases bellísimas acerca de la Limosna. Recordemos algunas:

*** "Las obras de misericordia que se hacen en favor de los necesitados las guarda Dios como un tesoro y las conserva para tenerlas muy presentes en el día de las recompensas (Ecl. 1. 17,18).

*** *"No sea tu mano abierta para recibir y cerrada para dar.* Más bien en cambio pórtate como padre para los huérfanos y benefactor para quienes no tienen quién les socorra" (Ecl. 4).

*** "Quien aparta del pobre sus ojos para no ayudarlo, tendrá muchas desdichas" (Prov. 28).

*** *"Quien le da al pobre, le presta a Dios, y Dios le recompensará"* (Prov. 19,17).

*** *"El que cierra sus oídos para no escuchar la petición del pobre, también cuando él clame pidiendo ayuda, no encontrará respuestas"* (Prov. 21,13).

*** *"Quien generosamente da, generosamente recibirá"* (Prov. 11).

*** "Quien ve a otro pasar necesidad y pudiendo ayudarle no le quiere ayudar, no puede decir que mora en él la caridad de Dios" *(Santiago 3).*

*** "Abre tu mano para darle generosamente al pobre y así serás magníficamente bendecido" (Ecles. 7).

Jesucristo cuando alguien le pidió un consejo para conseguir la vida eterna le respondió: *"Venda sus bienes y reparta ese dinero entre los pobres"* (Mat. 19,16).

Espíritu Santo, concédenos como especial regalo el que de vez en cuando recordemos estas frases tan provechosas de la Sagrada Escritura y las recordemos también a los demás. Su recuerdo nos hará inmenso bien, y aumentará nuestra felicidad en esta vida y en la eterna.

Una buena noticia

Del primer capitán o centurión Romano que San Pedro bautizó y recibió en nuestra santa religión, dice la Escritura que tenía esta bella cualidad: *"Daba muchas limosnas al pueblo"* (Hech. 10,2). Y un Angel de Dios se le apareció y le dijo: "Cornelio: *Tus limosnas y tus ayudas a los necesitados han subido ante la presencia de Dios como algo muy agradable para El"* (Hech. 10,4). Poco después descendió visiblemente el Espíritu Santo sobre Cornelio y toda su familia y recibieron el bautismo.

Quiera Dios que también de nosotros y de cada uno de nuestros familiares pueda repetir el Angel de Dios: "Tus limosnas y tus ayudas a los necesitados han subido ante la presencia de Dios y han sido muy agradables para El".

¿Y QUE CANTIDAD DEBEMOS DAR?

Según la S. Biblia, la limosna auténtica es dar la décima parte de lo que se gana (el diezmo).

San Agustín recomendaba esta norma: *"Dar más de lo que acostumbramos dar. Repartir más de lo que deseamos repartir"*.

Porque nuestro egoísmo y nuestra tacañería son mucho más grandes de lo que nos imaginamos. Y si solo damos lo que nuestro estrecho criterio nos aconseja, vamos a dar demasiado poquito, o no vamos a dar casi nada.

La Madre Teresa de Calcuta (siguiendo una recomendación que repetía frecuentemente San Juan Bosco) aconseja: *"Dar no sólo de lo que nos sobra, sino aun de lo que nos hace falta.* Dar de tal manera que quedemos un poco más pobres de lo que éramos. Dar de un modo tan generoso que el corazón sienta que hemos dado demasiado... Esta ha sido siempre la "sabia imprudencia" de los santos. Solamente cuando creamos que hemos dado "demasiado", nuestra limosna va a ser la que debíamos dar.

Jesús recomendaba *dar en la medida en la que queremos que Dios nos dé a nosotros:* "Dén y Dios les dará. Y les devolverá una buena medida, repleta, abundante, desbordante. *Porque la medida que emplean para dar a los demás, la usará Dios para devolverles"* (Luc. 6,38). Ojalá grabemos profundamente en la memoria esta promesa tan maravillosa del Salvador, y la recordemos con frecuencia.

LOS TRES SECRETARIOS DEL REY

Cuentan que un antiguo rey dispuso en el día anterior al aniversario de su coronación hacer un obsequio a tres de sus empleados, y a cada uno le regaló un costal de harina de trigo (que en esas tierras era muy costosa) pero con la obligación de dar a cada pobre que encontraran en la portería del palacio, una vasija llena de harina. Y les mostró tres medidas o vasijas: un pocillo de tomar tinto, un plato de tomar sopa y un platón. Y les dijo que podían repartir con cualquiera de esas tres medidas. El primero, que era bien tacaño empleó el pocillo, y a cada pobre le regaló un pocilladito de harina y él se quedó con casi todo el costalado. El segundo que era algo más generoso, empleó el plato y a cada limosnero le regaló un platado de harina y él se quedó con medio costalado. Y el tercero que era muy generoso, empleó el platón y a cada pobre le regaló un platonado de harina y él se quedó sin nada.

Al día siguiente llamó el rey a los tres empleados y les dijo: "En este día aniversario de mi coronación, les voy a dar a cada uno un regalo. Preséntenme la medida o vasija con la cual repartieron ayer a los pobres". El primero presentó el pocillo, y el rey lo llenó de monedas de oro: 12 monedas. El segundo presentó el plato, y el rey lo llenó también de monedas de oro: 120 monedas. El tercero presentó el platón y lo llenó el rey hasta el borde de monedas de oro. 1.200 monedas.

Y mientras el tercero bailaba de alegría por esa medida tan generosa con la cual había repartido y había recibido, el primero suspiraba de tristeza por no haber usado una medida más generosa para dar a los demás y que así hubieran usado también una medida más grande para más darle a él.

Y el rey les dijo: *Con la medida con la que Uds. repartieron a los pobres, con esa misma medida les doy yo a Uds.* Y no olviden que eso será lo que va a hacer Dios con nosotros: darnos a cada uno, según la medida con la que hayamos dado a los necesitados".

Me imagino estar ante el trono de mi Juez y Señor Jesucristo y que El se dispone a darme los premios por todas mis generosidades. ¿Qué medida empleará para recompensarme? ¿Una medida grande, mediana o pequeñita? Basta con que mire y mida la medida con la que estoy dando a los pobres, y ya podré saber cuál será la medida que empleará el Divino Juez para darme a mí lo que me corresponde.

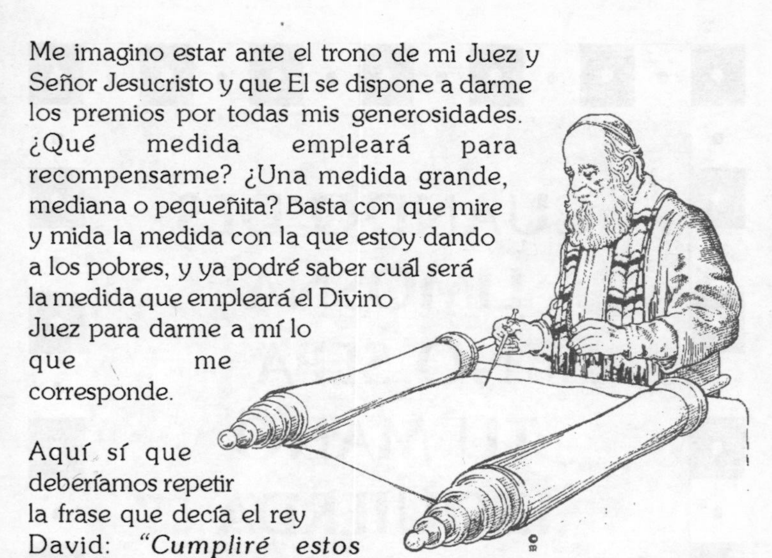

Aquí sí que deberíamos repetir la frase que decía el rey David: *"Cumpliré estos mandatos de Nuestro Señor* (lo de ser generoso y dar y dar con amplitud). *Los cumpliré si Tú, oh Dios, ensanchas mi corazón"* (Salmo 119). Solamente cuando Dios convierta este egoísta y encogido corazón mío, en un corazón dadivoso y lleno de generosidad, entonces sí lograré dar como Dios quiere que yo dé a los pobres y necesitados.

Señor, que cumplas lo que prometiste por medio del profeta: *"Les cambiaré su corazón de piedra* (duro e insensible) *por un corazón de carne* (misericordioso y generoso) (Ez. 11.19).

CUANDO DES LIMOSNA NO SEPA TU MANO IZQUIERDA LO QUE HACE TU DERECHA, Y EL PADRE CELESTIAL TE RECOMPENSARA

(S. Biblia Mateo 7)

- 18 -

¿QUIERE SER FELIZ?

TENGA UN GRAN IDEAL

¿Qué es un ideal? Es algo fijo a lo cual queremos llegar. *Es un valor presentado por la inteligencia como capaz de entusiasmar la voluntad* y mover a la persona a tratar de conseguirlo. Es un objetivo que se presenta como algo que puede dar felicidad.

Hay qué buscar ideales altos

Los antiguos arqueros campesinos que disparaban flechas, decían a los aprendices: «Hay qué apuntar a las estrellas para lograr darle a un águila. Hay qué apuntarle a un águila, para lograr darle a una golondrina. Porque si solamente apuntamos hacia la golondrina, probablemente le vamos a dar es... a la vaca del vecino» (pues la flecha tiende a llegar muchos más bajo de la dirección a donde se le envía). Algo parecido pasa con el ideal: es necesario tender a elevadas realizaciones si queremos llegar a medianas conquistas (o como decían nuestros abuelos: "Hay que aspirar a ser Sumo Pontífice para lograr llegar a ser sacristán.

Necesidad del ideal. Los formadores de personalidad insisten en que *quien no tiene ideales por conseguir, no es persona completa.* Le falta algo supremamente importante: un fin por el cual luchar y trabajar y prepararse.

El ideal es un valor que atrae y, esa atracción o fascinación que ejerce sobre la voluntad, lleva a la persona a esforzarse y esmerarse más por conseguirlo.

El cerebro necesita siempre un ideal que lo atraiga, que lo mueva a progresar y a no dejar de luchar por obtenerlo.

El ideal eleva los actos humanos a un nivel superior al de los animales, pues estos obran simplemente por el instinto, mientras el ser racional obra porque le atrae algo superior que le entusiasma.

Quien obra por un ideal *se llena de ilusiones que le entusiasman,* y siente un optimismo que lo mueva a actuar.

El ideal *proporciona una dirección* a nuestro obrar. Ya no obramos solo por instinto, sino por convicción.

Roosvelt, el Presidente, repetía: "Una persona vale menos y obtiene muy poco, si no se entusiasma por un ideal que desea conseguir".

Lo que no conozco no me atrae, dicen los alemanes. Si no tengo en mi mente un ideal que deseo obtener con mi obrar, ya no sentiré ese deseo ferviente de actuar con entusiasmo.

La voluntad necesita que el pensamiento le muestre lo que conviene conseguir. Y cuanto más luminoso y atrayente sea el ideal que se le presente, mayor será la fuerza que la voluntad ofrezca para tratar de conseguirlo.

Cualidades del ideal

El grado de altura al cual logremos llegar lo decide, después de la ayuda de Dios, la *intensidad con que deseamos conseguirlo.* Si el deseo de obtenerlo es fuerte e intenso, nuestra voluntad adquirirá fuerzas muy especiales para tratar de lograr sus objetivos.

Anhelo es desear algo, pero con mucha intensidad. A veces, especialmente en ratos de cansancio, dejamos de desear intensamente lo que buscábamos conseguir, pero hay qué volver luego a renovar nuestros deseos y convertirlos en anhelos.

El ideal *debe ser claro, preciso;* saber qué es lo que deseamos conseguir. Que no sea algo nebuloso, incierto, indefinido. (Me pregunto: ¿Cuáles son mis ideales en la actualidad?).

No debe ser imposible de conseguir. Si alguien quiere ser libertador de cinco naciones como Bolívar o descubridor de un continente como Colón, lo más seguro es que por ambicionar lo imposible se quedará sin conseguir lo que sí estaría de acuerdo a sus posibilidades. En los manicomios se encuentran locos que fueron llevados allí por haberse propuesto como ideales a conseguir, lo que era totalmente imposible para ellos (Allá hemos visto hombres vendiendo lotes en una urbanización que dicen poseer en la Luna. Otros se encuentran muy contentos por haberse logrado casar con Miss Universo. Pero eso sólo lo han logrado en su locura. En sano juicio aquello sería imposible). Los engañó el espejismo de una ilusión superior a sus posibilidades.

No querer conseguirlo demasiado pronto. La desilusión les ha llegado a muchos porque quisieron conseguir demasiado rápido lo que se proponían obtener; y por tratar de que la fruta madurara antes de tiempo, lo que hicieron fue echarla a pique. Si un aprendiz de música pretende llegar a ser director de orquesta al segundo año de aprendizaje, o un estudiante de medicina se imagina que va a ser un especialista afamado a los 25 años de edad, o un seminarista se hace la ilusión de que a los cinco años de estar estudiando religión ya será un gran santo y un formidable director de almas... pues necesariamente lo único que van a cosechar serán desilusiones. El Libro Santo dice: *"Todo tiene su tiempo"* (Ecl. 3). Y el refrán antiguo enseñaba: "El tiempo no respeta lo que se hace sin él".

No cansarse de tratar de conseguirlo. Jesús decía: "Los que perseveran hasta el final, esos serán los vencedores". Muchos que habrían podido llegar a ser genios o artistas inventores o santos, se quedaron a mitad de camino porque se cansaron de luchar por conseguir su ideal. Les faltó fuerza de voluntad para no desanimarse ni desfallecer. En cambio otros que tenían quizás menos inteligencia, menos salud y menos cualidades que los anteriores, llegaron al éxito y alcanzaron su ideal, porque no se desanimaron ni dejaron de trabajar por lograr alcanzarlo. "La perseverancia todo lo alcanza".

Que no sean muchos los ideales al mismo tiempo. Quien dispara a muchos objetivos a la vez, puede ser que no le logre dar a ninguno. Un sabio antiguo decía: *"Temo al que tiene una sola idea.* Me admira e impresiona quien se dedica a obtener *un solo fin,* porque enfoca hacia ese fin todas sus fuerzas y logra alcanzarlo".

Que sea un ideal bueno. Porque se puede cometer el fatal error de confundir el ideal con algo malo y que hace daño y que es solamente pasión desenfrenada. Así por ej. sería un ideal malo la mera satisfacción sexual, la pasión del juego, la embriaguez, la ambición de mandar a los demás por satisfacer su orgullo. Esos son males que se presentan con la apariencia de bien; son goces pero momentáneos y dejan amargura en el alma y traen males morales o males físicos, y producen descontrol síquico.

Que sea proporcionado a nuestras propias fuerzas. Y estas son limitadísimas. El ideal no puede ser demasiado pequeño porque entonces no atrae ni incita a trabajar por obtenerlo, pero tampoco debe exceder las capacidades que Dios nos ha dado, porque nos llegaría el desánimo y terminaríamos por no obtener nada por haber querido obtener demasiado. Que no sea una "quimera", o sea algo imposible de conseguir.

Que sea un ideal noble. No dejarse seducir por el espejismo engañador de las ambiciones humanas. Ojalá que sea superior al dinero; que sea más elevado que las pasiones sensuales, y que no tenga por fin conseguir placeres para el cuerpo, sino sobre todo sanos goces para el espíritu.

El caso de alguien que no supo escoger bien

El Padre Irala «famosísimo sicólogo» cuenta el caso de un joven que estaba sufriendo la más terrible depresión nerviosa. Y el sacerdote le preguntó: -¿No será que se ha propuesto varios ideales importantes al tiempo, o que ha tomado un ideal superior a sus fuerzas o un ideal que no es realmente muy conveniente ni santo? -El joven abrió tamaños ojazos y le respondió:

-Sí, padre. Ahí está el secreto de mis males. Tomé clase en dos facultades distintas de la universidad, tratando de hacer dos carreras al tiempo. Me propuse ser un doctor famoso en solo unos pocos años. Y lo que he tratado de conseguir no es hacer bien a la gente, sino darle gusto a mi orgullo, a mi ambición y a mi propia vanidad".

El sicólogo logró convencerlo de que hiciera una sola carrera cada vez, que aguardara el debido tiempo para llegar a la fama, y que se propusiera no engordar su orgullo y su vanidad, sino tratar de ser lo más útil posible a los demás, y aquel estudiante que antes se quejaba de cansancio cerebral, nerviosismo, desaliento y falta de sueño, y trasnochaba y madrugaba demasiado, y ya no practicaba deportes ni se divertía ni paseaba, recobró pronto la alegría y la salud mental, y repetía a sus compañeros el antiguo adagio: *"Quien se propone muchos fines, no consigue ninguno"*.

Clases de ideales

Hay ideales ordinarios e ideales extraordinarios.

***Los ideales ordinarios* o comunes suelen ser:**

De niños los ideales son jugar, ser estimados, recibir pequeños regalos, demostraciones de cariño, y obtener pequeños triunfos personales.

De jóvenes, los ideales son: triunfar en los deportes, participar en aventuras (viajes, exploraciones etc.) salir bien en los estudios; libertad; tener el aprecio del grupo; amistades amorosas. Adquirir personalidad. Encontrar una carrera o profesión que le lleve al triunfo.

De mayores: conseguir dinero; formar un agradable hogar; sentir el amor de una familia; obtener honores y buenos puestos. Triunfar en la propia profesión. Adquirir un buen nombre ante la sociedad donde vive. Gozar de cierto grado de comodidades. Especializarse en algo. etc.

Los ideales extraordinarios ya son más excepcionales que comunes. Así por ejemplo, Napoleón tenía como ideal igualar los grandes triunfos de famosísimos militares de la antigüedad como Alejandro Magno y Julio César. Este fue su deseo desde la juventud. Trabajó y estudió incansablemente durante años y años por conseguirlos y lo logró bastante bien.

Bolívar, San Martín y Washington tenían como ideal el obtener la independencia para su propia patria cada uno, y después de mucho sufrir y batallar, lo consiguieron.

San Juan Bosco, San Juan B. La Salle, P. Champagnat, Montesori y muchos más, tuvieron como ideal llegar a ser grandes educadores y transformar la juventud, y después de esmerarse hasta el extremo por conseguirlo, lo lograron de manera admirable.

San Francisco de Sales se propuso como ideal llegar *a tener una gran mansedumbre y amabilidad* (siendo como era de genio fuerte y áspero) y durante 19 años no tuvo otro propósito si no ese. Y llegó a un grado de amabilidad y mansedumbre tan admirable, que después de Jesucristo quizás no ha existido un hombre que iguale en bondad a este amable santo.

San Vicente de Paul tomó como ideal *el llegar a ser humilde* (Su carácter, dice él mismo, era agrio, orgulloso, lleno de vanidad). Durante 21 años su propósito de cada día del año era *conseguir la humildad*. Y llegó a un grado de humildad tan elevado que un día (por andar muy agachado) no vio a un transeúnte y le dio un cabezazo, y el otro le lanzó un violento bofetón. El santo como respuesta se arrodilló ante el agresor y le pidió perdón por no haberse fijado mejor al andar. Aquel tipo se dio cuenta de que estaba tratando con un verdadero santo y en adelante fue su gran amigo. Pero antes de llegar a ese grado de virtud, había tenido Vicente como ideal durante años y años, el ser humilde.

San Luis Gonzaga tenía *como ideal el mantenerse totalmente puro*. Esto le costó increíbles sacrificios (como por ej. el permanecer tres años como secretario en un gran palacio de gobierno, y no mirar al rostro durante todo ese tiempo a ninguna de las numerosas mujeres que allí llegaban o trabajaban. A ver si alguno de nosotros es capaz de semejante hazaña). Y Luis Gonzaga, que murió muy joven, de sólo 23 años, ha llegado a ser el prototipo y modelo de los que quieren mantener y conservar

la santa pureza. Pero le costó caro llegar al ideal que se había trazado, porque Dios no vende baratos los triunfos que concede.

Edison se propuso como uno de sus ideales el inventar *la bombilla eléctrica*. Y después de más de mil en ensayos fracasados, al fin logró este invento maravilloso.

Pasteur, el gran sabio católico, buscaba como ideal ell descubrir *la vacuna,* contra las más espantosas enfermedades de su tiempo. Y después de años y años de experimentar día y noche, llegó a ese invento que tantas vidas ha salvado.

Lincoln, cuyo gran ideal era *obtener la libertad de los esclavos,* tuvo que padecer muchísimo (y hasta terminar dando su vida por esta noble causa) pero los esclavos recobraron su libertad.

Domingo Savio, era un jovencito de sólo 12 años cuando se encontró con su gran protector San Juan Bosco, y le dijo: *"Yo quiero ser santo, pero pronto* (porque presentía que su vida sería corta) y con este poderoso anhelo se dedicó a trabajar por conseguir su altísimo ideal, y al morir, cuando sólo tenía 15 años, era ya un admirable santo, declarado ahora por el Sumo Pontífice como Patrono de los jóvenes católicos de todo el mundo. Se propuso conseguir su ideal. Y Dios le permitió conseguirlo.

Kempis, San Alfonso, Carnegie, Peale, Og Mandino, Julio Verne y muchos más, se propusieron llegar a *ser escritores que tuvieran mucho éxito entre el pueblo* y lograran influir sobre las multitudes. Les costó estudio, tiempo, sacrificios, y fuertes gastos económicos, pero no desistieron de tratar de lograr su ideal, y hoy son considerados como benefactores de la humanidad, a causa de sus publicaciones tan populares.

Una característica común. Todos los que han tenido notorios éxitos en campos de acción tan diversos, pueden repetir la frase de aquel triunfador al cual preguntaron cuál era la causa de sus triunfos: *"Los quise. Los quise con todo el alma.* Los busqué sin cansarme ni desanimarme, y renuncié a muchas otras adquisiciones y alegrías, con tal de conseguir éstas que anhelaba obtener".

CULTIVAR EL IDEAL

Cada uno es arquitecto de su propio destino. Quien se propone levantar el edificio de su propia personalidad y prosperidad, tiene qué representarse primero en la mente, bien definido, qué es lo que desea obtener (sabiendo que Dios en su generosidad pasará mucho más allá, si es para bien eso que se propone). La imaginación es una de las mejores colaboradoras, y lo que hoy soñamos, ella nos irá ayudando a encontrar los medios de conseguirlo. Por tanto, formémonos nuevas imágenes, nuevas ideas, de lo que deseamos llegar a ser.

El ser más pobre que existe es el que tiene menos ideales. No creamos que el ser más pobre es el que tiene menos posesiones. Es el mezquino, el miserable, el apocado y pesimista que cree que ya nada bueno puede obtener. El que se forma una pobre opinión de sí mismo, de su suerte, de sus cualidades, de sus posibilidades. Ese sí que es el más pobre de todos los pobres (Marden).

Los grandes realizadores han trabajado más con su mente que con sus manos. ¿Hemos leído biografías de grandes personajes? Su lectura es muy agradable y provechosa. Pues en cada uno vemos que pasaba horas y horas meditando, pensando en lo que anhelaba conseguir. Napoleón decía: "Parece que mis victorias han sido producto solo de la buena suerte. Pero lo que no sabe la gente es que cada una de ellas fue precedida de muchísimas horas que dediqué a pensar y meditar cómo se podría obtener".

¿Hemos oído *la novena sinfonía de Beethoven?* Se queda uno boquiabierto de la emoción. ¿Y sabemos cuánto duró componiéndola? 19 años pensando y meditando en esa música que deseaba componer. Cuando el día de su estreno la gente gritaba y aplaudía sin cansarse, Beethoven había conseguido su ideal: componer una pieza de música que gustara a todos. Pero *había pagado la cuota inicial:* dedicar semanas, meses y años a pensar y planear acerca de cómo realizar su obra. Lo que el árbol tiene de florido, vive de lo que tiene sepultado.

El ideal ilusiona, da optimismo, anima a trabajar. Pone a trabajar los talentos que Dios nos ha regalado. Pensemos siempre en el ideal (o los ideales) que nos hemos propuesto. Ese pensar nos irá entusiasmando y excitándonos hacia la acción por conseguir lo que deseamos.

Estudiar nuestras aptitudes. Si al ver una gota de sangre se desmaya, seguramente que no podrá tener como ideal ser médico cirujano o enfermera. Si es un enamorado apasionado, no tenga por meta ser sacerdote. La causa de muchas frustraciones y desánimos es el haberse propuesto un ideal que no estaba de acuerdo con sus aptitudes.

Leamos libros que hablen acerca de los ideales que deseamos lograr. Eso anima y abre nuevos horizontes. Leamos biografías de personas que lograron los ideales que nosotros deseamos obtener.

Cada cual debe *representarse el edificio de éxitos que desea tener.* Hoy es solamente soñador creyente. Mañana, en el futuro, podrá ser realizador satisfecho.

Si alguien no cree en la realidad y posibilidad de sus ideales, que les consagre unos minutos cada día para pensar y meditar en ellos. Verá florecer su fe y su esperanza.

Encomendemos muchas veces a Dios nuestros ideales. El tiene poder y bondad para concedernos muchísimo más de lo que nos atrevamos a pedir o a desear.

Mensaje de un santo. "La ocasión solamente busca a los que están preparados. Hay qué tener un gran ideal; cultivarlo. Prepararse para conseguirlo. Luchar para hacerlo realidad. No cansarse ni desanimarse nunca porque demore en llegar. Y ya veremos que, tarde o temprano, si tenemos fe y constancia, y si conviene para nuestro mayor bien, Dios suscitará una circunstancia, una ocasión, que quizás aparecía improbable y estallará la chispa de la gran ocasión y obtendremos lo que tanto anhelábamos. Dios satisface los buenos deseos de sus amigos (San Juan Bosco).

- 19 -

¿QUIERE SER FELIZ?

RECTIFIQUE SU INTENCION

La gente más antipática. Cuando uno lee el evangelio de San Lucas se queda admirado de la impresionante bondad de Jesucristo. Ese evangelio ha sido llamado "El retrato de la bondad de Cristo". Allí el Divino Maestro inmensamente es amable y comprensivo especialmente con cinco clases de personas: los pobres, los pecadores, los niños, las mujeres y los enfermos. No tiene sino perdón, ayudas generosas e inmensa estimación. Pero de pronto aparece en el evangelio una actitud fuerte, dura, terrible de Jesús contra una clase de personas (Luc. 11,37). ¿Quiénes son? Los fariseos y escribas. ¿Y por qué? *¿Por qué este cambio tan radical de la amabilidad a la dureza en el vocabulario de Cristo? Porque les falta una cualidad de primerísima necesidad: la Rectitud de intención* en lo que hacen y dicen. Veamos lo que les dice el amable Jesús:

«Tengan cuidado para no practicar sus buenas obras delante de la gente para que los vean, porque entonces *se quedarán sin premio* por parte del Padre Celestial.

"Cuando den limosnas no lo anden contando a todo el mundo, como lo hacen los hipócritas que dan limosnas delante de todos para que la gente los vea y los felicite. En verdad les digo: que ya recibieron su recompensa.

«Tú en cambio cuando des limosna, que no sepa tu mano izquierda lo que hace tu derecha y así tu limosna quedará en secreto y tu Padre del cielo que ve en lo secreto te premiará.

«Cuando recen no hagan como los hipócritas que se ponen a rezar en las esquinas de las plazas para ser vistos por los demás. En verdad les digo que ya recibieron su recompensa.

"Tú en cambio cuando vas a rezar, éntra en tu aposento y allí en lo secreto ora al Señor, y el Padre Celestial que ve en lo secreto te premiará.

"Cuando ayunan o hacen sacrificios no pongan cara de tristeza como lo hacen los hipócritas para que los demás se den cuenta y los aprecien. En verdad les digo que ya recibieron su recompensa.

"Tú en cambio cuando ayunas o haces sacrificios, preséntate con un rostro agradable, para que tus sacrificios no sean conocidos por la gente sino por tu Padre Dios que está allí en lo secreto, y tu Padre que ve en lo secreto, te premiará" (Mat. 6).

¿Por qué Jesús critica tan fuertemente a los escribas y fariseos y los llama "***hipócritas***", que significa: "enmascarados" "disfrazados"? Porque siente lástima hacia la enorme pérdida que ellos están teniendo al buscar en lo que hacen y dicen, no el premio de Dios, sino las alabanzas humanas. Y eso es "cosechar humo" y querer amontonar viento. Es perder todo lo que se hace o dice. Para Jesús lo más triste que les puede suceder a los que se dedican a hacer obras buenas es recibir únicamente los premios humanos que son pocos y siempre miserables, y quedarse sin los premios eternos que Dios sabe dar a quienes obran por El y por su amor y para darle gloria. Por eso nos pone sobreaviso no sea que vayamos a cometer el peor de los errores que es perdernos los premios y las alabanza de Dios, por quedarnos sólo con las alabanzas y los premios de la gente. (Y nosotros podemos ser escribas y fariseos en nuestro obrar, y eso sería fatal!).

La visión del Monje. Los antiguos contaban que durante una gran ceremonia religiosa en una catedral, mientras los coros y las orquestas entonaban los más bellos himnos, la gente vibraba emocionada, pero un monje de San Bernardo lloraba amargamente. Le preguntaron por qué en vez de alegrarse al oír tan bellas armonías, en cambio demostraba tristeza y desagrado, y el monje respondió:

«Es que mientras los coros cantaban y las orquestas entonaban tan bellas melodías, yo vi que *los demonios recogían todas esas música y canciones, porque los de la orquesta y los de los coros no cantaban ni tocaban para darle gloria a Dios y agradarle a El, sino para ganarse la estimación de la gente"*. Quién sabe en cuántas de nuestras acciones y palabras, si hubiera alguien que viera lo espiritual, se entristecería al ver que estamos perdiendo nuestros esfuerzos por no buscar agradar a Dios sino a la gente. Sería una lástima!

San Luis Beltrán tenía escrita en letras bien grandes en la puerta de su habitación esta frase tan importante de San Pablo: "*Si lo que busco es agradar a la gente, ya no seré servidor de Cristo*" (Gal. 1,10). Y es que esa frase hay qué recordarla frecuentemente, porque cuando menos pensemos estamos buscando es hacer buena figura ante los demás, y entonces nos perdemos los premios de Dios.

Visión dolorosa. La beata Ana María Taigi en una de sus visiones observó que en el purgatorio estaba un sacerdote sufriendo mucho y le preguntó cuál era la causa de sus sufrimientos. La respuesta fue ésta: "*Por haberme faltado rectitud de intención en la predicación* buscando más aparecer como buen predicador que el santificar las almas, y por haber buscado aparecer como sabio profesor, en vez de buscar solamente el provecho espiritual de los alumnos". Son ejemplos para hacernos pensar. En cambio qué consolador que si en cualquier momento de nuestra vida nos preguntan: "¿Por quién está obrando?", podamos responder con la frase del Cantar de los Cantares: "*Mis obras las dedico al Rey,* al Rey Celestial".

Visiones que hacen suspirar

San Juan Bosco tuvo dos visiones que nos pueden hacer suspirar de tristeza a muchos de nosotros, pero que pueden también ser de gran provecho para nuestro progreso espiritual. Son las siguientes:

Las flores sin perfume. Vio el santo que muchas personas se acercaban al altar llevando ramos de flores, pero que bastantes de esas flores eran rechazadas por los ángeles. Al preguntarles el por qué de ese rechazo le explicaron: *"Es que son flores sin perfume,* o sea, obras buenas hechas sin la recta intención de agradar a Dios, sino solamente para aparecer bien ante los demás. Y esto no obtiene premios del cielo".

Las uvas amargas. En una nueva visión observó el santo que algunas personas tenían en su vida hermosos ramos de uvas de buenas obras. Pero que al probar esas uvas resultaban amargas y desagradabilísimas. Y una voz del cielo le dijo: "Por fuera esas obras aparecen muy buenas, pero al observar por qué intención han sido hechas, resultan amargas y desagradables porque les falta Rectitud de intención. No han sido hechas por Dios, sino por agradar a las creaturas". ¿Alguna de estas dos visiones anteriores corresponderá a las acciones de mi vida?

Señor: quiero repetir la frase que decían San Vicente y Santa Teresita: *"Cualquier otra cosa, menos hacer o decir algo que no sea para la gloria de Dios y para tenerlo contento a El".*

Los obreros y San Francisco. Dicen que un día se encontró San Francisco con un grupo de obreros que estaban trabajando y le preguntó a uno:

-¿Ud. por qué trabaja?
-Porque no hay otro medio para ganarme la vida.
Trabajo para mantener a mi familia.
Luego preguntó a otro.
-¿Ud. para qué trabaja?
-Para hacerme rico, conseguir harta plata y pasarla bien.

El santo preguntó a un tercero:

-Y ¿Ud. para qué trabaja?

-*Yo trabajo para tener contento a Dios, pagarle mis pecados y, conseguirme el cielo,* colaborar con el progreso del mundo y sacarle provecho a las cualidades que Dios me dio. San Francisco le dio una palmadita en el hombro y le dijo:

-Lo felicito. Esta respuesta se la iluminó el Espíritu Santo. Si trabaja para esos fines tan santos, tendrá bendiciones en la tierra y gran premio en el cielo.

Conclusión

De vez en cuando debo detenerme y preguntarme: "¿Para qué estoy trabajando? ¿Sólo por cumplir una obligación o por ganarme la simpatía de los demás? ¿Solamente por ganar un dinero o porque no hay otro medio de conseguir el alimento y lo demás que necesito? ¿Para qué trabajo? ¿Para tener contento a Dios? ¿Para pagarle mis pecados y ganarme el cielo y hacer progresar la humanidad? Si estos últimos son los fines por los cuales trabajo, entonces sí que estoy procediendo como un ser verdaderamente inteligente y estoy atesorando para la gloria eterna.

El caso de un líder polaco

Mesler fue un jefe católico que luchó muy fuertemente el siglo pasado por la libertad de su patria, Polonia. Pero le sucedió una vez que en un sueño vio que se abría en el cielo *"El Libro de la*

Vida" en el cual está anotado todo lo que nos va a traer premio para la eternidad, y allí sólo vio unas poquitas de todas las obras que él había hecho por su nación. Preguntó por qué las demás campañas que había llevado a cabo no habían sido anotadas para el premio, y le fue respondido: *"Es que lo otro lo hizo y lo dijo fue por aparecer ante los demás y recibir alabanzas de las gentes, y como ya recibió pago en la tierra, no tendrá premio después en el cielo"*. El mismo cuenta que al despertarse estaba temblando de terror, y que desde entonces se propuso con todas las fuerzas de su alma: "Nunca haré ni diré nada por ganarme estimación de la gente de la tierra, sino que todo lo que diga y obre tendrá un solo fin: tener contento al buen Dios".

Mensaje final. En la última carta que escribió el Beato Escrivá, al cumplir sus 50 años de sacerdocio dice: *"De hoy en adelante lo que tengo que hacer es ocultarme y desaparecer, QUE SOLO JESUCRISTO SE LUZCA"* Y dicen los que lo conocieron que esa frase es como su autobiografía, el propio retrato de su comportamiento de toda la vida. Y ojalá fuera también nuestro lema de ahora en adelante. Como el de Juan Bautista: "No importa que yo desaparezca y disminuya, con tal de que Cristo sea conocido, amado y estimado". Y Jesús en cambio nos dará el premio que prometió para todos los cenicientos y las cenicientas del mundo: "Quien se humilla, será enaltecido".

Lo que vio una Santa. En la biografía de una gran sierva de Dios se cuenta que cuando ella cumplió los 15 años de religiosa y 35 de edad, tuvo un sueño que le impresionó profundamente. Vio que llegaba al cielo a rendir cuentas y que sus obras buenas se le presentaban a Dios en forma de bandeja llena de hermosas frutas. Y éstas fueron pesadas en la Balanza Divina para saber qué premio iban a recibir y se halló con que no pesaban nada. La pobre mujer angustiada preguntó la causa de que sus obras no tenían ningún peso y el ángel de la guarda abriendo una de aquellas frutas se la mostró: estaba totalmente vacía por dentro. Y le dijo: "Es que le está sucediendo lo que tanto criticaba Jesús a los fariseos: *"Todo lo que hacen es por ser vistos, por aparecer ante los demás"* (Mat. 23,5). Todas sus obras buenas han sido hechas por aparecer ante la gente, y por lo tanto ya no merecen premio para el cielo. No pesan nada ante la justicia de Dios".

Y dice la biografía que desde aquel día la religiosa se propuso como lema para el resto de su vida. *"La muerte, antes que hacer algo que no sea solamente por agradar a Dios"*.

Sería interesante averiguar qué tanto peso tienen las obras buenas que estamos haciendo. Qué valor tienen ante la Balanza de la Justicia Divina. Sería una gran lástima y una espantosa pérdida, que por hacerlas con el fin de aparecer bien ante los demás nos estemos perdiendo los premios que íbamos a conseguir haciéndolas por agradar a Dios.

Un banquete muy especial. Decía Jesús: "Cuando inviten a algunas personas a un almuerzo, no inviten a sus familiares o a los ricos, porque ellos también los van a invitar y ya con eso les quedó recompensado el favor que hicieron. Cuando inviten a un almuerzo, llamen a los pobres, a los lisiados y a los más miserables, porque ellos no les podrán pagar, y entonces todo el premio se lo dará el mismo Padre Celestial" (Luc. 14,12). Jesús quiere que nosotros demos sin esperar ser correspondidos. Probablemente casi todos nosotros nos moriremos sin haber hecho ni siquiera una vez en la vida lo que aconsejó Nuestro Señor en este pasaje del Evangelio: "invitar a los desconocidos, a los harapientos, a los que no nos van a devolver nada en cambio". Los santos sí lo hicieron muchas veces (Por ej. San Luis, rey, invitaba un día cada semana a 12 mendigos a almorzar con él). Me pregunto: ¿cuando hago alguna atención a otros, qué es lo que busco? ¿Ganarme su aprecio y su cariño? ¿O solamente agradar al buen Dios y conseguir sus premios eternos?

Dos santos escritores. Cuenta San Gregorio Magno que él mientras estaba escribiendo sus libros (que por 13 siglos han sido tan leídos) de vez en cuando tenía qué suspender el oficio de redactar y dedicarse a decirle a Dios: *"Señor, esto lo hago sólo para Tí, para tu gloria y para el bien de las almas; no para lucirme ni para adquirir fama o popularidad"*. Es que sentía gran temor a que Cristo le pudiera repetir lo que les decía a los fariseos: *"No pueden adquirir la verdadera perfección, porque lo que viven buscando es el aprecio de los otros"*.

También Santo Tomás de Aquino mientras redactaba sus inmortales libros que tanto bien han hecho por más de 7 siglos, de vez en cuando se hacía la señal de la cruz y exclamaba: *"Todo por Dios y solo por Dios"*. Y repetía la frase del salmo 115: *"No a nosotros, Señor, no a nosotros, sino a tu nombre, sea la gloria para siempre"*.

¿Cuántas veces repetiré yo de ahora en adelante algunas frases semejantes? ¿O me voy a exponer a perderme los premios eternos por tratar de conseguir unas pobres alabanzas humanas?

El piloto automático. Dicen que ciertos aviones llevan un aparatico especial llamado *"piloto automático"* cuyo oficio es mantener el avión en la altura debida y en la dirección precisa a donde debe dirigirse si por ej. hay un vacío y el avión desciende; inmediatamente el piloto automático lo vuelve a subir a la altura indicada. Una fuerte corriente de viento desvía el avión hacia la derecha o hacia la izquierda?. El aparatico aquel lo vuelve automáticamente a orientar hacia la dirección que debe seguir. Cada uno de nosotros necesita en la vida espiritual un *"piloto automático"*, un recuerdo contínuo de la dirección hacia la cual dirigimos nuestros actos, pensamientos y palabras. Para que si de vez en cuando el egoísmo quiere abajarnos hacia fines rastreros y materiales, la memoria nos recuerde los fines elevados y sobrenaturales para los cuales hemos sido creados. Y si el orgullo nos desvía hacia lo que es vanidad y deseo de aparecer, o la avaricia nos mueve solamente hacia lo que es ganancia o interés, o la pereza nos quiere elevar hacia lo que es comodismo y falta de espíritu de sacrificio, una voz dentro del alma, nuestra conciencia siempre despierta, nos repita lo que siempre se decía a sí mismo el aviador que atravesó por primera vez el océano en aeroplano: *"Plus ultra"*, *más allá,* para más altos ideales hemos sido destinados; no sólo para conseguir bienes en la tierra, sino sobre todo para ganarnos enormes premios de nuestro Dios en el cielo.

Unica marca aceptada. Decía un santo que cuando nuestras obras lleguen a la eternidad, las *únicas que allá serán aceptadas serán las que lleven esta marca "R.I." Rectitud de Intención, hechas por Dios.* Porque las que hacemos por inflar nuestro orgullo o por simples ganancias materiales, ya han recibido pago en esta tierra y no lo van a recibir en la eternidad. ¿Cuántas de mis obras y de mis palabras llevarán la marca "R.I."? Ojalá sean todas. Las que no la lleven las habré perdido para siempre.

Peligro hasta para los santos. Un formador de religiosos afirmaba que el peligro para muchos y muchas que se proponen llegar a la santidad es: *querer ser santos para aparecer como santos ante* *los demás.* Es santidad de pacotilla, estilo fariseos. Y fácilmente podemos aparecer como bellos sepulcros blanqueados, donde por dentro sólo hay podredumbre, mientras por fuera las apariencias son excelentes. Con bella piel de ovejas, y por dentro lobos feroces. Y entonces sucede que cuando la persona comete una falta no se entristece por haber ofendido a Dios, sino por haber perdido ante los demás la fama de santidad que deseaba tener. Y ese arrepentimiento no borra ningún pecado. Esa es una santidad postiza, y como todo lo postizo, fácilmente desaparece.

Un lema para no olvidar. El bello librito "Imitación de Cristo" trae una frase que a la gente por varios siglos le ha gustado mucho. Dice así: *"Nadie es más porque le aplauden y feliciten, ni menos porque le desprecien y le critiquen"* y recuerda la frase que siempre repetía el humilde San Francisco: *"Yo soy lo que soy ante Dios, y nada más y nada menos"*, y recomienda: "No vivamos preocupados por lo que opina la gente, que casi siempre se equivoca al opinar acerca de nosotros. Preocupémonos sí por lo que pensará y opinará Dios acerca de nuestro comportamiento, porque El sí conoce los corazones, y sus juicios son muchas veces contrarios a los de la gente del mundo.

Recordemos: lo importante no es sólo preguntarse: "¿qué hice?", sino *"¿por qué lo hice? ¿Por quién lo hice?".* Si fue por Dios y por amor de caridad hacia los demás, ya con ello nos estamos volviendo millonarios para el cielo.

¿Y NO LA VOY A AMAR SI ES MI MADRE?

- 20 -

¿QUIERE SER FELIZ?

TENGA DEVOCIÓN A LA VIRGEN MARÍA Y CONFÍE EN ELLA

Bella noticia

San Alfonso enseñaba a la gente esta bella noticia: ***"A quien Dios quiere llevarle a una gran santidad, le concede tener una gran devoción a la Virgen Santísima".***

Y eso se ha visto confirmado por la historia en miles y miles de casos. Los más grandes santos, esos que son unos verdaderos "gigantes" en el espíritu, han sido ante la Virgen María como unos "pequeños niñitos", que se consideran totalmente necesitados de su ayuda maternal. Así por ej. San Bernardo, San Francisco de Sales, San Juan Eudes, San Alfonso, San Luis de Montfort, San Juan Vianey, San Antonio Claret, San Juan Bosco, San Maximiliano Kolbe, etc., esos portentos de santidad que han llenado el mundo de maravillosas obras de caridad y espiritualidad, cuando se dirigen a la Madre de Dios se consideran unos "pequeños infantes" que en todo necesitan la ayuda compasiva de la más buena y cariñosa de las madres.

Noticia desagradable

San Luis de Montfort, después de recorrer todo su país (Francia) predicando y confesando, llegó a esta conclusión que la narra en su famosísimo libro titulado "La verdadera devoción a la Virgen María". Dice así el santo:

"Cuando el enemigo de las almas ve que a una persona no es capaz de quitarle la devoción a la Madre de Dios, se esfuerza por hacer entonces que esa su devoción se vuelva falsa. Que aunque le siga rezando oraciones, sin embargo su conducta no tenga ninguna mejoría. Que sí le rece en privado, pero que le dé pena tributarle honores delante de los demás. Que le pida muchos favores, pero que no se esfuerce por imitarla en sus virtudes, por ej. en su caridad para con los demás y en su amor por Jesús y en el dedicarse a prestar servicios humildes etc.".

Lo comprueba otro santo

San Juan Bosco devotísimo de la Virgen Santísima les repetía a sus discípulos: *"Si la devoción a la Madre de Dios no consigue la enmienda de nuestra vida y el volvemos mejores, esa devoción es falsa".*

Y un sueño lo reafirma. En uno de los 159 sueños misteriosos o visiones que tuvo Don Bosco, la Virgen le presentó una procesión de devotos que le llevaban a Ella sus ofrendas. Algunos le presentaban unas azucenas y los ángeles las recibían con agrado diciendo que significaban los sacrificios que hacían por conservar la santa virtud de la pureza. Otros le ofrecían rosas y eran muy bien aceptadas, porque significaban los actos de caridad que hacían en honor de la Reina de los cielos. Pero otros ofrecían flores sin perfume, que eran rechazadas por los ángeles, los cuales explicaban que esas eran obras exteriores hechas por sólo aparecer y aparentar, pero que no habían sido hechas por amor a Dios y las almas. Otros llevaban flores muy llenas de espinas, y los ángeles las rechazaban diciendo que eso significaba que las prácticas de piedad que le ofrecían a la Virgen iban mezcladas con muchos pecados que no se trataban de evitar, ni de rechazar.

Y toda este sueño era como una reafirmación de lo que el santo andaba repitiendo: "Una devoción a la Madre de Dios, que no consiga la enmienda de nuestra vida y el volvernos mejores, es una devoción falsa".

Un documento de gran importancia

Desde 1962 hasta 1965 estuvieron reunidos en Roma todos los obispos y arzobispos del mundo, con los Cardenales y el Sumo Pontífice, en una asamblea que se llamó Concilio Vaticano.

Y de aquel "Concilio Vaticano" salió un documento importantísimo titulado "Luz de las gentes", el cual dedica su último capítulo (el octavo) a recomendar la devoción a la Santísima Virgen. Esto de que todos los obispos y arzobispos del mundo, con los Cardenales y el Sumo Pontífice a la cabeza, envíen al mundo entero un documento recomendando vivamente la devoción a Nuestra Señora, es algo que demuestra la enorme importancia que para un buen católico tiene esta bella devoción. No es un consejito de un autor anónimo, ni es la recomendación de algún grupo de devotos. Es una declaración hecha por los personajes más importantes de toda la Iglesia católica en el mundo en el siglo veinte: por los tres mil obispos, los 500 arzobispos, los 120 Cardenales y el Papa, y este documento fue ayudado a redactar por varios doctores muy famosos de las universidades Católicas.

¿Y qué dice el documento?

El Capítulo octavo de "Luz de las gentes" del Concilio Vaticano afirma entre otras muchas verdades importantísimas, lo siguiente:

1o. ***La Virgen tiene tres grandes cualidades:*** es la Hija preferida del Padre Celestial. Es la Madre Santísima del Hijo. Y es el Sagrario del Espíritu Santo.

2o. ***Las gracias que ha recibido de Dios son tantas,*** que superan a las que han recibido las demás creaturas (y las recibió para comunicarlas a las almas que le imploran su ayuda).

3o. ***Es la Madre de los discípulos de Jesús*** (El le dijo en la cruz a Juan que nos representaba a nosotros: *"he aquí a tu madre"* y a Ella le dijo señalándonos a cada uno de nosotros representados por Juan *"he ahí a tu hijo").* Si es madre nos cuida con amor maternal y se esfuerza por conseguirnos todo lo que nos hace falta y por librarnos del mal.

4o. ***Desde el primer instante fue enriquecida por una santidad especial,*** y esa santidad se esmera por comunicarla y "contagiarla" a sus devotos.

5o. ***Es modelo de todas las virtudes*** especialmente de la fe, la caridad, la obediencia a las leyes de Dios, el servicio humilde a los demás, la paciencia etc.

¿Y qué oficios hace por nosotros?

Dice el Concilio Vaticano que la Virgen María hace cuatro oficios especiales por nosotros: es *Mediadora:* que nos consigue favores; es *Socorro:* que nos trae ayudas; es *Abogada:* que ruega por cada uno de nosotros, y es *Auxiliadora:* que nos obtiene auxilios muy especiales del cielo. *Y cuida con amor especial de cada uno de los seguidores de su Hijo.*

¿Y qué debemos hacer por Ella?

Los obispos y arzobispos y doctores que redactaron el documento del Concilio recomiendan lo siguiente: 1o. *Hónrenla todos devotísimamente* (así en superlativo, lo cual no es muy frecuente en los documentos tan serios del Concilio). Es como querer decir: "sean santamente exagerados" en demostrarle respeto y cariño. 2o. *Encomienden a Ella su vida y sus obras y trabajos.* Es la Madre del que todo lo puede y si nos colocamos bajo su protección vamos a ser seguramente socorridos. 3o. Entre todos los santos *debemos venerarla en primer lugar.* O sea que después de Jesucristo, es a la Virgen María a la que más debemos honrar en nuestra religión. 4o. Traten sus devotos de imitarla en las virtudes que Ella practicó.

La voz del Pontífice: El Papa Pablo VI que dirigió las reuniones del Concilio Vaticano, hablando a un enorme grupo de fieles católicos les dijo: "¿Quieren un buen consejo del Pontífice de Roma? Pues este es el que les doy: "Lean, repasen, mediten y traten de practicar lo que el Concilio Vaticano dijo acerca de la Virgen Santísima". (O sea lo que está en las dos páginas que acabamos de leer).

Una vida consagrada a Ella

Cuando el 16 de agosto de 1815 nació San Juan Bosco, su santa Madre Margarita lo tomó en sus brazos y mirando un cuadro de la Virgen dijo: *"Oh María Santísima: Yo te consagro este niño y lo pongo totalmente bajo tu poderosa protección".* Después cuando a los 14 años el muchacho se despedía de ella para irse a estudiar en la ciudad, Mamá Margarita le dijo: "Recuerde que en el día de su nacimiento yo lo consagré a la Sma. Virgen y lo puse bajo su protección. Elija siempre como amigos a los compañeros que sean más devotos de Nuestra Señora". El joven Juan Bosco practicó el buen consejo de su piadosa madre y entre los alumnos más devotos de la Virgen encontró sus más formidables y provechosos amigos.

El primer sermón que predicó el seminarista Juan Bosco fue acerca del Santo Rosario y *su primer alumno* lo recibió un 8 de diciembre día de la Inmaculada Concepción. *Su prodigiosa obra educativa la empezó rezando un "Dios te salve María",* junto con el primer huérfano que recibió. Cuando 47 años más tarde recordaba los maravillosos resultados que Dios le había permitido conseguir en la educación de la juventud, exclamaba: "Jamás hubiera imaginado que una obra nacida con una simple avemaría obtuviera tantas bendiciones del cielo".

Exitos y más éxitos

Durante su vida obtuvo más de 800 hechos prodigiosos con la bendición de María Auxiliadora o con la Novena a la Sma. Virgen. Aconsejaba decir muchas veces esta pequeña oración *"María Auxiliadora, rogad por nosotros"*, y pedía a la gente: "Si alguien repite muchas veces esa oración y la Virgen María no le ayuda, tenga la bondad de informarme porque entonces le escribiré una carta a San Bernardo al cielo diciéndole: "¿Cómo es que nos dijo: *"Jamás se ha oído decir que alguno rece a la Madre de Dios y no haya sido ayudado por Ella?"*. Pero en muchos años que llevo recomendando que la gente le rece a la Virgen Santa, jamás a alguno le he oído decir que se haya encomendado a la Reina del cielo y que Ella no le haya traído ayudas celestiales".

Cuando mandó hacer las campanas para el Santuario de María Auxiliadora a una de ellas le hizo grabar en bronce esta frase: *"Cuando María ruega, todo se obtiene, nada se niega"*.

Repartía medallitas y estampas de la Virgen María por centenares de miles, y repetía la antigua frase "De María numquan satis: por María nunca se hace demasiado".

Espanto terrible. Durante varias semanas el demonio con espantosos ruidos y movimientos hacía pasar las noches sin dormir al pobre Don Bosco. Varios jóvenes de los mayores y mas fornidos del colegio se fueron a dormir en la habitación de él, pero al oír los primeros aullidos infernales salieron todos corriendo y ninguno se atrevió a volver en esa noche por allí. Al fin a Mamá Margarita se le ocurrió una buena idea: "-Hijo, es que el otro día necesitaron un cuadro de la Virgen para un salón y les dio el que tenía en su habitación y se le ha olvidado reponerlo". El santo sacerdote se consiguió un cuadro de la Virgen Santísima, lo bendijo y lo colocó en su habitación, y ya no se sintieron por allí los espantos infernales. Porque la Virgen María es la Madre del que le pisa la cabeza a la serpiente infernal, y su cuadro es el retrato de tan poderosa Protectora.

Recuerdos emocionantes. Durante la última misa que el santo celebró en Roma, pocos meses antes de morir, lloró más de diez veces. Le preguntaron después cuál era la causa de su llanto y respondió: "-Es que durante la celebración venían a mi recuerdo los favores maravillosos que por medio de la Sma. Virgen me ha concedido el buen Dios durante toda mi vida". En aquella hora larga que duró su celebración pasaban por su cerebro como en una película emocionante las ayudas que la Madre de Dios le había conseguido de su Hijo Santísimo. Desde que a la edad de 9 años se le apareció para decirle que su oficio sería educar niños pobres, y luego en sus primeros años de sacerdocio se le fue apareciendo en Sueños para decirle lo que debía hacer y cómo hacerlo, y para prometerle su ayuda prodigiosa. Y recordaba que habiendo sido él huérfano de padre y siempre pobre, había logrado con la ayuda de la Virgen construir grandes templos, levantar colegios enormes, enviar misioneros a países remotos y fundar obras educativas en Italia, Francia, España, Argentina, Uruguay y otros países, y al final de su vida eran ya 80.000 los alumnos que se educaban en sus obras y más de 2.000 los sacerdotes que había logrado conseguir para la Iglesia.

Con razón estallaba en llanto de profunda emoción. Es que las ayudas que había recibido de manos de la Poderosa Auxiliadora eran demasiado grandes como para no emocionarse.

Ella lo ha hecho todo

En su última visita a Roma fue preguntado Don Bosco por un periodista acerca de cómo había logrado realizar tan formidables obras en favor de la Iglesia y de los pobres y respondió con esta frase que se ha hecho famosa: *"Ella, María Auxiliadora, lo ha hecho todo.* Yo lo único que he hecho es trabajar, y rezar y hacer rezar a otros. Lo demás, todo lo ha hecho Ella, María Auxiliadora".

Sus palabras finales

El 30 de enero de 1888 san Juan Bosco estaba agonizando. El consejo que había dado a todos los que lo habían visitado durante ese mes era el mismo: *"Tengan una gran devoción a Jesús Sacramentado y a María Auxiliadora. Propaguen la devoción a Jesús Sacramentado y a María Auxiliadora y verán lo que son milagros".* Aquella noche sus salesianos fueron avisados de que se acercaba la muerte de su amadísimo Fundador. Se reunieron emocionados junto al lecho del moribundo. Monseñor Cagliero, el primer obispo salesiano (que había sido un muchachito pobre recogido por el santo y educado gratuitamente) le dio la Unción de los enfermos. El obispo lloraba y los demás acompañantes también. Sentían como si se les estuviera muriendo su propio padre, que lo era en verdad, su padre espiritual amadísimo. Las últimas palabras que el enfermo pronunció fueron éstas: *"María, mañana, María, mañana"!* -Luego dejó de hablar definitivamente. Era el 30 de enero poco antes de medianoche. Al día siguiente 31, a la madrugada expiró y pasó a la eternidad. Su gran esperanza era en esa noche que al día siguiente iría a encontrarse con su Madre bondadosa María Santísima, en el Reino Celestial. Y seguramente que al cerrar sus ojos en esta tierra los habrá abierto gozoso para contemplar en la eternidad feliz, a la Madre amantísima que de la mano lo habrá llevado ante su Hijo Jesucristo para que recibiera el premio de todas sus buenas obras. También él podía repetir lo que su discípulo preferido Miguel Magone había exclamado en el momento de morir: *"Oh María, María, qué dichosos son tus devotos. Felices en la vida, y sobre todo felices en la hora de la muerte".* Ojalá que todos los que lean estas líneas tengan esa felicidad en vida y en muerte.

Tempestades materiales y espirituales

Cuenta San Antonio Claret en su autobiografía, que cuando él era joven un día se fue a bañar al mar *y llegó una ola tremenda y se lo llevó mar adentro.* Cuando sintió que se iba a ahogar invocó a la Virgen María, y luego sin saber cómo, se encontró en la playa, sano y salvo. Este favor extraordinario lo llevó a recomendar siempre a sus oyentes una gran fe en la protección de la Madre de Dios especialmente en los momentos de peligro.

Y añade que más tarde *le llegó una espantosa tentación contra la pureza* y estaba en gravísimo peligro de caer en pecado. Pero cuando peores y más fuertes eran las tentaciones, una noche vio en sueños que la Virgen Inmaculada se le aparecía y le ofrecía una hermosísima corona diciéndole: *"Esa corona será para ti si logras vencer la tentación impura"*. Resistió valerosamente a todos los ataques de los enemigos del alma y Nuestra Señora en cambio le concedió la gracia especialísima de que durante toda su vida jamás cometiera un pecado de impureza, ni de pensamiento, ni de palabra, ni de mirada, ni de obra. Favor maravilloso que ojalá la Virgencita Santa nos lo conceda también a nosotros. Sería un regalo formidable y mil veces provechoso. Y si no nos cansamos de suplicarle, lo va a conceder.

Santo Tomás de Aquino

Quizás el sabio más famoso que ha tenido la Iglesia Católica en los últimos siglos es Santo Tomás de Aquino. De él se cuenta que cuando era joven, sus hermanos, para conseguir que abandonara la idea de hacerse religioso, lo metieron en una cárcel y allá le enviaron una mujer desvergonzada para hacerlo pecar. Pero él que había encomendado su virtud de la pureza a la Virgen Santísima, tuvo un acto de valor extraordinario, y tomando en sus manos un tizón encendido y enfrentándose a la mala mujer le gritó: "o se aleja de aquí o le quemo la cara". La otra no tuvo más remedio que salir corriendo. Y narran las antiguas crónicas que esa noche sintió una voz del cielo que lo felicitaba por aquella gran victoria y vio que le colocaban sobre sus hombros una estola blanca, señal de pureza y santidad. Y en adelante su castidad fue heroica y admirable.

En acción de gracias por los favores recibidos y para pedir la poderosa protección de la Madre Celestial, Santo Tomás escribía en el margen de sus cuadernos, al principio de página "Ave María" (Dios te salve María) y recomendaba mucho su devoción. Y los biógrafos comentan que si la Virgen no le hubiera conseguido la victoria contra las tentaciones de la pureza, nunca habría llegado a ser el sabio tan iluminado y formidable que fue.

¿Y COMO CONSEGUIR LA DEVOCION A LA VIRGEN MARIA?

El Concilio Vaticano II que es la reunión de obispos que más bellamente ha hablado acerca de la devoción a Nuestra Señora, dice que *esta devoción no puede reducirse a un simple sentimentalismo* o a sólo exterioridades, sino que debe basarse en razones serias y seguras. Y *los santos han descubierto cinco modos de conseguir una verdadera devoción a la Madre Santísima.* Son los siguientes:

1o. *Meditar en sus grandezas.*

Ella es *la Hija preferida del Padre Dios.* Entre los cuarenta mil millones de mujeres que han existido en el mundo, a Ella la ha preferido Dios más que a todas las demás. Y nosotros debemos imitar también en esto a Nuestro Señor, prefiriendo a María Santísima y amándola más que a otra creatura sobre la tierra. El ángel le dijo: *"Tú eres la más bendecida de todas las mujeres".* La más bendecida por Dios.

María es la Madre del mejor Bienhechor que tenemos

Ella nos trajo del cielo a Jesús, el Salvador, el que nos salva de nuestros pecados. ¿Qué mejor regalo nos podía conseguir? Entonces ¿por qué no amar inmensamente a la que nos trajo el más precioso regalo que del cielo nos podía llegar?

Es la más bendecida de todas las mujeres

Mujeres santas hay muchas. Mujeres sabias hay bastantes. A las mujeres las bendice mucho Dios, y quizás las bendice más que a los hombres porque son más piadosas y muchas veces son más virtuosas que los varones. Hay mujeres a las cuales las bendice muchísimo Nuestro Señor porque son inmensamente buenas. Pero hay una a la cual la bendijo Dios más que a todas las demás mujeres de la tierra: es María Santísima. Y esta es una de las razones por las cuales la debemos amar y estimar tanto: porque Dios la estimó y amó más que a todas las demás. El ángel el día de la anunciación le dijo: *"Te felicito María porque has hallado gracia y preferencia delante de Dios".* Ojalá también para cada uno de nosotros sea la Madre preferida, la Reina de nuestras preferencias, como lo ha sido para el Creador.

Es la Sin Mancha, la Purísima

El hombre busca en la mujer las cualidades que él no tiene: la amabilidad, la dulzura, la pureza. Nosotros manchados, corrompidos y corruptores, con el alma destrozada por el pecado y leprosa por tantas culpas, buscamos y necesitamos encontrar alguien que tenga el alma purísima y santísima y que posea la santidad que nosotros no tenemos. Y Ella es María Santísima. Mujeres santas hay muchas, pero sólo una es Santísima. Y a Ella la queremos y estimamos más que a todas las otras. San Bernardo dice: *"María es una virgen que virginiza"*, o sea: es un alma purísima que vuelve puras a otras almas. (Virgen significa la que no ha cometido ninguna impureza). A los que tenemos el alma, tan manchada nos atrae la Virgen Santísima porque no tiene ni la más mínima mancha de pecado en su alma.

2o. Imitar sus virtudes

Los grandes santos insisten en que si queremos en realidad ser buenos devotos de la Virgen María es necesario que nos esforcemos por imitar sus admirables virtudes. ¿Cuáles? Veamos algunas. a) ***Su caridad.*** Tan pronto sabe que su prima Isabel necesita una niñera que la acompañe en el nacimiento del primer hijo que a edad tan avanzada va a tener, María, dice el evangelio *"fue corriendo a visitarla y ayudarla"*. Porque Ella siempre va de prisa cuando alguien necesita su ayuda. Y allá donde Isabel no es María la principal, sino una sencilla personita dedicada a barrer y lavar, a hacer mandados y cocinar y a hacer de niñera cuando nace el niño Juan. Ella podía repetir lo que su santísimo Hijo dijo más tarde: *"No he venido a que me sirvan sino a servir"*.

En Caná, cuando se acaba el vino, Ella es la primera en darse cuenta y a base de ruegos hace que su Hijo obre su primer milagro para sacar de un aprieto a esos pobres esposos. Y ahora le sigue diciendo en favor nuestro: "Hijo: no tienen vino: no tienen vino de alegría, o vino de pureza, o vino de paciencia, o vino de caridad etc.". Y Jesús a sus ruegos sigue haciendo milagros en favor nuestro.

b) ***Su silencio.*** De María se oyen poquísimas palabras en el Evangelio. Allí habla Jesús, hablan los apóstoles, hablan otros, menos María. Ella permanece calladita, como no queriendo aparecer. Y las pocas palabras que dice son para alabar a Dios, para aceptar su santísima voluntad o para pedir favores para los demás.

El silencio no es una virtud muy femenina. Dice la gente que la mayor parte de las mujeres pertenecen a "la academia de la lengua" y les cuesta bastante callar, mucho más que a los hombres. Qué digna de admiración e imitación es María Santísima tan calladita, tan silenciosa, que tenía lo que se llama hoy *"una lengua de alabanza"*, y si no era para bendecir a Dios u obtener bienes para los demás, prefería callar y dejar más bien que otros hablaran. En Ella sí que se cumplió aquello que dice la S. Biblia: *"Si alguien no peca con su lengua, es persona perfecta"* (Sant. 3,2) María: Reina del silencio: enséñanos a callar!

Tercera condición para ser buenos devotos de María: **PROPAGAR SU DEVOCION.** Varios santos han dicho: *"Una devoción a la Virgen que no sea prendediza y contagiosa, no es verdadera devoción"*. Decir que se ama a una persona y no hablar bien de ella, es señal de que el amor que se le tiene no es de primerísima clase. Resulta casi imposible encontrar a alguien que le profese una gran devoción a María Santísima y que no se preocupe y se esfuerce por hacer que otras personas la amen y se encomienden a Ella con toda su fe.

Cada uno de nosotros debería preguntarse: *¿en verdad mi devoción a la Madre de Dios es contagiosa?* ¿Cuántos cuadros de la Virgen he regalado? ¿Cuántas estampas, medallas, novenas o escritos marianos he repartido? ¿A quiénes he regalado o recomendado algún libro que hable de Nuestra Señora? ¿Cuánto me cuesta la devoción a la Reina del cielo? ¿O mi devoción es sólo pedir, pedir, y nada dar? ¿A cuántas personas he narrado ejemplos de la Virgen, o he recomendado rezarle, o he invitado a alguna fiesta suya o a visitar algún santuario dedicado en su honor?

¿En qué hogares hay algún libro mariano obsequiado por mí? (Por ej. El Libro de la Virgen, o Ejemplos Marianos, o Las Glorias de María, o el Tratado de la Verdadera devoción a la Sma. Virgen, o siquiera una novena a Nuestra Señora?).

¿De qué manera he contribuido para que las fiestas de la Sma. Virgen en mi parroquia resulten más solemnes y fervorosas? ¿He pedido a los sacerdotes que prediquen más acerca de Nuestra Señora? (Ahora se predica de Ella mucho menos de lo que fuera de desear y eso es una gran pérdida para la santidad de los fieles).

El mejor regalo

Muy conocido es el sueño que tuvo alguien que sentía devoción hacia la Virgen María pero no dejaba de repetir un pecado que acostumbraba cometer. Y en una noche vio que Nuestra Señora se le aparecía y le ofrecía una bandeja llena de las más bellas frutas pero todas cubiertas con el trapo asqueroso con el cual se había limpiado las llagas un enfermo, y la Virgen le recomendaba que se comiera aquellas frutas. La respuesta fue: -"Señora: las frutas están muy hermosas, pero el trapo que las cubre es tan asqueroso que si me comiera una de esas frutas me vomitaría". - Y la Virgen santa con tono de tristeza le dijo: "Así sucede con las devociones que me ofrece: todas muy hermosas, pero vienen cubiertas con un trapo tan asqueroso, ese pecado que repite y repite. Si no quita ese pecado no le podré recibir ninguna de las devociones que me ofrece".

¿Qué me dirá a mí este ejemplo? ¿Cuál será el trapo de pecado que la Madre Santísima quiere que quite de mi vida para que mis devociones sí le sean agradables y las pueda aceptar? Dios me ilumine cuál es, y me conceda valor para quitarlo ya desde hoy mismo.

Final feliz

El sabio Salmerón, uno de los más grandes teólogos que dirigieron el Concilio de Trento, exclamó poco antes de morir: *"María, María, benditas sean las devociones que hice por ti y los esfuerzos que realicé por hacerte conocer y amar. María: qué felices son los que te aman y te sirven: felices en la vida y felices en la eternidad".*

Madre santa:
que en nuestra hora final
podamos repetir esas mismas palabras!

EL GRAN REGALO DE DIOS

SIENDO INMENSAMENTE RICO
NO TUVO OTRO REGALO MEJOR
PARA DARNOS
QUE SU PROPIO CUERPO EN ALIMENTO

- 21 -
¿QUIERE SER FELIZ?

RECIBA LA EUCARISTIA

Un anuncio impresionante

Cuenta San Juan en el Capítulo 6 de su evangelio que al día siguiente del portentoso milagro con el cual Jesús con sólo cinco panes y dos peces dió de comer a cinco mil hombres (y por lo menos a cinco mil mujeres y cinco mil niños) y le sobraron 12 canastos de panes y peces, la gente se reunió entusiasmada en la Casa de Oración de la ciudad de Cafarnaum cuando supo que el Divino Maestro iba a predicar allí.

Y Jesús les habló de la siguiente manera:

-Han venido a mí porque ayer les di de comer un pan. (Y qué sabroso pan! -pensaba la gente) *Ahora les voy a hablar de otro pan mucho mejor que el que les dí ayer.* ¿Recuerdan al maravilloso pan del desierto, aquel maná que cada mañana caía frente a los campamentos de los israelitas y que los mantuvo sanos y vigorosos por 40 años? (Y que sabía a lo que cada cual quisiera que le supiera?).

Sí, Señor. Qué maravilla! Quién pudiera comer Maná!

-Pues yo les voy a dar otro pan mucho mejor que el Maná. Porque los que comieron el Maná ya están muertos, y en cambio los que coman del pan que yo les voy a dar vivirán para siempre. Yo les voy a ofrecer un Pan venido del cielo!

A los oyentes les brillaban los ojos de emoción, y gritaron: -Señor: dános siempre de ese pan.

Y entonces Jesús levantando la voz y acentuando bien cada palabra que pronunciaba les dijo:

-Por mi palabra de honor, en verdad en verdad les digo: *"Yo soy el Pan de vida. Yo soy el Pan bajado del cielo".*

Los judíos empezaron a murmurar, y Jesús volvió a decir más fuerte: *-Yo soy el Pan vivo bajado del cielo. Quien coma de este Pan vivirá para siempre, y el pan que yo les voy a dar es mi carne, para la vida del mundo.*

Los judíos se pusieron a discutir y decían:

-¿Cómo puede éste darnos a comer su carne?

Jesús insistió más claramente y con mayor fuerza:

-En verdad en verdad les digo: si no comen la carne del Hijo del hombre, no tendrán vida en su alma. Quien come mi carne y bebe mi sangre tiene vida eterna y yo le resucitaré en el último día.

La gente escandalizada se alejó de Jesús y lo dejó solo. No podían admitir que tuvieran qué comer su carne y beber su sangre. Jesús se quedó solo, solo con sus apóstoles, y vuelto hacia ellos les dijo:

-¿También se van a marchar?

Y Pedro en nombre de sus compañeros le respondió:

-*Señor: y a dónde quién vamos a ir? Tú tienes palabras de vida etema* y nosotros sabemos que tú eres el Santo de Dios.

Se descubre el misterio

Los apóstoles tampoco habían entendido cómo podía ser aquello de comer la carne del Hijo del hombre y beber su sangre. Pero sabían que si Jesús lo había dicho era porque así tenía que ser y así sería. Pero seguían sin entender. Hasta el día en que el Señor dispuso contarles cómo iba a ser esto tan importante.

El cordero sacrificado

Cuando se acercaba la fiesta de la Pascua, la última pascua que Jesús iba a pasar visiblemente en la tierra, mandó a dos de sus discípulos a comprar un corderito de un año, sin mancha ni defecto, y llevarlo al templo para ofrecerlo en sacrificio. Este corderito era una imagen muy diciente de lo que es nuestro Redentor: puro, sin mancha, que muere sin haber ofendido a nadie ni haberle dado escándalo a ninguno.

A las tres de la tarde, cuando sonaba la trompeta del templo, cada uno de los que llevaban corderos clavaba un puñal en el corazón de su propio corderito e iba derramando su sangre alrededor del altar diciendo: "ofrezco a Dios esta sangre inocente, por los pecados míos y por los de mi familia y de mi nación". Al día siguiente también a las tres de la tarde, el Viernes Santo, moriría en el Calvario el Cordero de Dios y le atravesarían su corazón de un lanzazo y su sangre se ha ofrecido y se ofrece por nuestros pecados y los del mundo entero.

Al cordero lo ataban a unos palos en forma de cruz y lo asaban y luego la familia lo comía con pan sin levadura (como el de la hostia) y con una copa de vino, como Cena Pascual en acción de gracias al Señor Dios por sus favores. Al Cordero de Dios lo clavaron en unos palos en forma de cruz y ahora lo comemos en forma de pan sin levadura en la hostia y de vino consagrado en el cáliz.

LA GRAN CENA

Jesús mandó preparar una sala muy bien adornada para celebrar con sus apóstoles su Ultima Cena (siempre quiere que para la Eucaristía el sitio donde se celebre sea lo más digno y hermoso posible). Comieron el Cordero que había sido sacrificado en el templo, y luego *les dio la gran noticia:*

-Cuando quieran que el pan del sacrificio se convierta en mi cuerpo dirán estas palabras:... y les dijo las palabras que el sacerdote dice en la consagración en la Misa. Y El mismo aquella noche: "tomando pan en sus manos dijo: *"Esto es mi cuerpo, que será entregado para el perdón de los pecados"*, y aquel pan ácimo (como el de las hostias) se convirtió inmediatamente en su Cuerpo Santísimo y lo dio en comunión a sus discípulos y luego pasó quizás a la sala vecina a darle la Primera Comunión a su Madre Santísima y a las santas mujeres que lo seguían y le colaboraban en su apostolado. Enseguida tomó el cáliz en sus manos y exclamó: *Este es el cáliz de mi sangre, sangre de la alianza nueva y eterna, que será derramada por muchos para el perdón de los pecados"*. Y transformó milagrosamente, el vino en su Santísima Sangre, y pasó el cáliz a sus discípulos para que tomaran.

Aquella noche quedó celebrada la Primera Misa en el mundo y los apóstoles y sus sucesores recibieron el poder de repetir este gran milagro, porque Jesús les dijo: *"Hagan esto en recuerdo mío"*.

Ahora lograron empezar a entender cómo era eso de *"comer la carne del Hijo del hombre y beber su sangre"*. Se trata de un formidable milagro que Jesús como Dios que es, obra día por día en los altares del mundo. Transforma la hostia en su Cuerpo y el vino en su Sangre, para que nosotros podamos alimentarnos con su propio Cuerpo y su propia Sangre. Algo que nadie jamás hubiera pensado que iba a suceder.

Regalo imposible de valorar

Los santos dicen que *en tres momentos parece que Dios se volvió loco de amor hacia nosotros.*

1o. Cuando envió a su Hijo al mundo para que nos salvara de nuestros pecados. 2o. Cuando permitió que a su Hijo Amadísimo lo mataran en una cruz por salvarnos, y 3o. Cuando quiso que Jesucristo se quedara en la Santa Eucaristía para ser nuestro compañero perpetuo en el camino hacia la eternidad.

Y añaden los Santos Padres que *Dios a pesar de ser Todopoderoso no pudo tener otro medio mejor* para demostrarnos su amor, que el quedarse con nosotros en la Eucaristía. *Y siendo infinitamente rico, no tuvo otro regalo más valioso para damos que la Eucaristía. Y siendo infinitamente sabio no encontró un modo mejor* de hacernos el bien que el permanecer presente día y noche en la Sagrada Eucaristía. Aquí sí que se cumple lo que dijo el Apóstol San Juan: *"Dios es amor"*.

¿Y PARA QUÉ SE QUEDÓ EN LA EUCARISTÍA?

1o. *Para ser nuestro alimento en el viaje hacia la eternidad.*

El Pan de Elías. Cuenta el Libro de los Reyes en la S. Biblia, que el profeta Elías cuando iba huyendo de la persecución de la malvada reina Jezabel, se sintió tan deprimido y desanimado que pidió a Dios que más bien le mandara la muerte. Pero el Señor en vez de concederle esto tan indebido que estaba pidiendo, lo que hizo fue enviarle un pan para que se alimentara; y después de comerse este pan tuvo el profeta una fuerza y un valor y un entusiasmo tan grandes que fue capaz de recorrer los 40 días de camino que le quedaban para atravesar el desierto, hasta que llegó al Monte de Dios, el Horeb o Sinaí y allí recibió los más animadores mensajes del cielo.

Algo muy semejante nos sucede a nosotros. Las dificultades y los problemas de la vida a veces son tan grandes que nos llegan la depresión y el desánimo y hasta puede suceder que quisiéramos

SAN JUAN BOSCO VIO QUE LA NAVE DE LA IGLESIA CATOLICA VA PROTEGIDA POR DOS GRANDES DEFENSORES: LA EUCARISTIA Y LA VIRGEN MARIA

dejar de vivir más bien que seguir aguantando tanto problema y dificultad. Y es entonces cuando Nuestro Señor en su infinita bondad nos recuerda que en el Pan de la Eucaristía vamos a encontrar el valor que nos falta y el entusiasmo que se nos fue. Y podremos repetir lo que decía aquella alma piadosa: "con la comunión de este día ya tengo fuerzas para resistir alegremente las próximas 24 horas". Y es que Jesús no viene a nosotros para quedarse con las manos cruzadas presenciando indiferentemente nuestras luchas y trabajos. El sabe arremangarse y ayudarnos a echar remo fuertemente para cruzar por entre las encrespadas olas en las peores tempestades de la vida. Si lo llamamos en nuestra ayuda, vendrá en nuestra ayuda.

Los dos pares de huellas

Muy conocida es la poesía titulada "Los dos pares de huellas", en la cual se narra que un hombre tenía qué atravesar un terrible desierto poblado de alacranes y víboras y animales salvajes, y con peligrosos precipicios y temibles bandoleros. Y el viajero que había pedido a Cristo Jesús que lo acompañara en el viaje, veía cómo en las arenas del desierto iban quedando marcadas 4 huellas: las de sus pies y las dos de los pies de Jesús. Pero en los momentos más peligrosos, cuando más alacranes o serpientes o fieras aparecían o peores precipicios le rodeaban o más bandoleros atacaban, en esos temibles momentos veía que en la arena sólo quedaba un par de huellas. Entonces se volvió en oración hacia Jesús y le dijo: "Señor, ¿por qué en los momentos de mayor peligro me dejas solo y no quedan en la arena sino las huellas de mis pies? -Y el Señor le respondió amablemente: -No, esas huellas no son las de tus pies, son las de los míos, porque en los momentos de mayor peligro yo no me contento con ir a tu lado, *sino que te llevo alzado entre mis brazos".* Esto es como el cumplimiento de lo que Dios anunció en el salmo 91: "Porque hizo de Dios su refugio, porque tomó al Altísimo por defensa, porque se puso junto a Mí, *le libraré y será llevado en brazos para que su pie no tropiece* y se libre del peligro de las serpientes y de los leones".

Miles y miles de personas en el mundo entero al recibir a Jesucristo en la Eucaristía han sentido que su ayuda y defensa son tan reales, tan sensibles y maravillosas, como nunca habían imaginado que pudieran llegar a ser. Y se cumple lo que decía San Juan de la Cruz: *"De Jesús no recibimos más ayudas, porque no le pedimos más ayuda".* De El se obtiene todo lo que de El esperamos obtener, y mucho más». Y aquello otro que el mismo Cristo le dijo a Santa Margarita: *"Solamente dejarás de recibir mis ayudas cuando a Mí se me acabe el poder,* o sea... nunca".

2o. *Se quedó para ofrecerse en sacrificio por nosotros*

El caso de Moisés. Cuando Dios se disgustó tan terriblemente porque su pueblo se había dedicado a adorar un becerro de oro, y dispuso destruirlo por completo, entonces Moisés intercedió y oró por el pueblo, y el Señor se aplacó y ya no les envió el castigo que tenía preparado. Algo muy parecido sucede ahora en la tierra. *Cada día sube hacia el cielo una nube negra pidiendo castigos:* es la multitud inmensa de nuestros pecados. *Pero cada día sube también hacia el cielo una nube blanca pidiendo perdón y misericordia:* son las 400.000 hostias que se ofrecen en las 400.000 misas que se celebran cada día en el mundo. Y cada vez que Jesús es elevado en la Santa Hostia, parece que esté repitiéndole al Padre Celestial la oración que le dijo al empezar su martirio en la Cruz: *"Padre, perdónalos, porque no saben lo que hacen"*.

Algo que reemplaza todo lo demás

Una santa le decía a Nuestro Señor: "Quisiera ofrecerle para obtener el perdón de nuestros pecados: todos los sufrimientos de los enfermos, todas las músicas de los artistas, todos los cantos de los coros, todo el dinero del mundo y todos los aplausos de la tierra", y sintió una voz que le decía: *"No hace falta que tenga todo eso para ofrecerme: basta que me ofrezca una Santa Misa, la cual vale más que todo lo demás que los humanos me puedan ofrecer"*. Y es verdad, porque en la Sagrada Eucaristía se ofrece a Dios Padre el mismo Jesucristo en persona, el cual vale más que todos los tesoros de la tierra y que todas las obras buenas que los humanos podamos hacer u ofrecer.

VALE MAS. Vale más dicen los santos, una misa que ir descalzo hasta los extremos de la tierra. Aprovecha más una Misa que todos los ayunos y oraciones de las personas buenas. Más gloria le da a Dios una Santa Misa bien ofrecida y participada, que todas las demás prácticas de piedad que podamos ofrecer, porque en ella se inmola y se sacrifica el mismo Hijo de Dios, y participar en una Misa vale tanto como si hubiéramos estado presentes en la Ultima Cena de Jesús (de la cual la S. Misa es la repetición más fiel) y sirve tanto como si hubiéramos asistido a la Muerte de Cristo en el Calvario el Viernes Santo (ya que cada Misa es la repetición del sacrificio de Jesús en la Cruz). Qué tesoro tan grande es la Santa Misa!

El último regalo. Con razón San Juan de Avila, moribundo, cuando sus discípulos le preguntaban qué podían hacer por él después de que hubiera muerto, les respondió: "Ofrecer misas, ofrecer misas, muchas misas". Esto vale más que todo lo demás.

3o. *Se quedó para que vayamos a visitarlo*

Muy popular ha sido la promesa que San Juan Bosco hacía a sus discípulos: *-¿Quieren que Jesús los bendiga? Visítenlo en la Sagrada Eucaristía en el templo.* ¿Quieren que los bendiga más? Visítenlo más. ¿Quieren que no los bendiga nada? Pues no lo visiten. Pero si quieren que los bendiga y ayude inmensamente, visítenlo con mucha frecuencia en los templos". Esto lo han comprobado centenares de miles de personas en muchos sitios, y lo siguen comprobando ahora quienes visitan a Cristo presente en la Sagrada Eucaristía.

La leprosa de Agua de Dios

Una pobre enferma del leprocomio de Agua Dios, que vivía en el campo, iba cada domingo por la tarde a visitar a Jesús en la Santa Hostia en el templo, antes de volverse para su vereda. Y un día, pensando que nadie la estaba escuchando, le dijo en voz alta: "Hasta el otro domingo, mi Señor Jesucristo. *Yo sé que con esta visita recibo fuerzas para poder soportar la vida por ocho días más"*. Y el sacerdote que la estaba oyendo pensaba: -"Qué gran verdad ha dicho esta mujer". Con la visita al Santísimo Sacramento se reciben fuerzas para poder sobrellevar las penas de la vida y conseguirse con ellas un gran premio en la eternidad".

¿Cuántas veces visitamos a Jesucristo presente en la Santa Hostia en los templos? ¿O nos imaginamos que "no tenemos tiempo" para visitarlo? Cada persona tiene tiempo para lo que sí quiere hacer, y no tiene tiempo para lo que no quiere. ¿Posible que si creemos que Jesús está en la Santa Hostia en la Eucaristía, no entremos a los templos de vez en cuando a hacerle una visita de amigo aunque sea muy breve? Serán los mejores minutos del día! Cuando pase por frente a un templo que esté abierto, entraré a visitar a mi amigo Jesús.

El Maestro está aquí y te llama. Dice San Juan en su evangelio que cuando Jesús llegó a casa de Marta y María para resucitar a Lázaro, el mensaje que Marta le envió a María para avisarle que había llegado el Salvador fue éste: *"El Maestro está aquí y te llama".* Esta frase podría estar escrita en cada sagrario en todos los templos del mundo. El Maestro Jesucristo está ahí y nos está llamando e invitando a que le hagamos alguna visita de amigos y de hijos cariñosos. ¿Aceptaremos su invitación? ¿Cuántas veces? ¿Cada cuánto tiempo? Cuantas más veces, mejor para nosotros.

La Farmacia de servicio permanente

San Francisco de Sales decía que así como en cada ciudad hay algunas farmacias o droguerías que tienen orden del gobierno de prestar atención día y noche a todos los que lleguen a buscar remedios, así sucede con la Sagrada Eucaristía: es una *Farmacia de Servicio Permanente* en la cual el buen Dios reparte remedios y soluciones y ayudas todos los días y a todas las horas, a cuantos quieran ir a pedir su ayuda al Divino Redentor. Jesús nos sigue repitiendo lo que decía cuando estaba visible en esta tierra: *"Vengan a Mí todos los que están fatigados y preocupados, que Yo los aliviaré"*. Y el Profeta nos puede asegurar ahora una vez más lo que dijo hace 22 siglos: "Soy viejo, y *jamás he visto a uno que haya recurrido con confianza al Señor Dios y no haya sido socorrido por El"*. Antes pasarán el cielo y la tierra, que Jesús deje de auxiliar y consolar a quienes con fe y confianza le pidan su divina protección, visitándolo en la Sagrada Eucaristía donde está presente con su cuerpo, su sangre, su alma y su divinidad. Hagamos el ensayo. Nos alegraremos de haberlo hecho. Quizás muchas de las ideas más bellas, consoladoras y provechosas que tengamos en esta vida, nos llegarán mientras estemos en el templo adorando a nuestro amable Salvador.

No son los
muertos los que
en dulce calma
en paz descansan
de la tumba fría.
Muertos son
los que tienen
muerta el alma
y viven todavía.

- 22 -

¿QUIERE SER FELIZ?

VIVA EN GRACIA DE DIOS

El tesoro y la esmeralda

Jesús en una de esas 40 maravillosas narraciones suyas llamadas *"parábolas"*, contó el caso de un campesino que desyerbando en el campo sintió que el azadón retumbaba en el suelo como si por debajo de tierra hubiera una cavidad. Levantó una piedra y encontró escondido allí un tesoro. Los antiguos no tenían bancos ni cajas de ahorros y para guardar sus tesoros tenían que enterrarlos en el campo, y sucedía que el que los había escondido se moría sin decir donde los había dejado y quedaban allí escondidos por mucho tiempo. La ley decía que la mitad del tesoro pertenecía al dueño del campo y la otra mitad al que lo había encontrado. Pero aquel campesino tuvo una idea atrevida: fue y vendió su casa y sus muebles y con el dinero conseguido compró la finquita y se quedó con todo el tesoro.

Narró también Jesús el caso de un negociante en esmeraldas el cual al encontrar una extraordinariamente fina fue y vendió su finca y sus animales y compró la fina esmeralda y así se volvió millonario.

En esos dos casos lo que les sucedió a estos hombres fue que *descubrieron algo que los entusiasmó tanto*, que estuvieron resueltos a renunciar a todo lo que tenían con tal de poseer ese bien tan extremadamente valioso.

Y esto es lo que sucede a quien descubre el valor de la gracia de Dios: en adelante está resuelto a renunciar a cualquier otro bien por ej. ciertas amistades, o negocios, empleos, goces, riquezas etc., con tal de poseer el tesoro riquísimo que es la gracia de Dios.

¿Y qué es la gracia de Dios?

Gracia es una palabra que puede provenir de la palabra latina *"gratus": lo que es agradable.* Estar en gracia de Dios es estar en amistad con Nuestro Señor, *serle agradable* en el comportamiento. No tener en el alma ningún pecado grave sin perdonar. Jesús decía *"Mi Padre me ama porque yo hago siempre lo que a El le agrada".* Jesús es el ser que más completamente ha vivido en gracia de Dios. Y después de Jesús la persona que más alto grado de gracia o de amistad con Dios ha alcanzado, es la Virgen Santísima. Por eso el ángel la llamó: *"Llena de gracia"*, y le dijo: *"Alégrate, porque has hallado gracia ante Dios"* (o sea has sido muy agradable para El).

Así que por "gracia de Dios" entendemos en estas páginas *"amistad con Dios"*, estar en paz con Nuestro Señor. No tener pecado grave en el alma. Serle agradable a Dios.

Una cosa es importante según la importancia que le conceda Nuestro Señor: no según la importancia que le concedemos nosotros, pobres e ignorantes creaturas, sino por la importancia que le conceda Dios. Y a ninguna otra cosa le ha concedido tanta importancia nuestro Creador como al que vivamos en gracia de Dios, en buena amistad con El.

Pero, *¿por qué será qué es tan importante* la gracia de Dios?

1o. Porque es la razón y la causa de la venida del Hijo de Dios al mundo.

El sabio Pontífice Pío XII decía a los sacerdotes, religiosos y catequistas: "Recuerden que Jesús no vino al mundo a acabar con la pobreza, ni con la enfermedad, ni a hacernos la vida fácil. Jesús vino a tratar de conseguir que los seres humanos vivan en paz con Dios, en amistad con Dios, o sea, en gracia de Dios; en paz y amistad con el Creador.

Y añadía el santo Padre: "Por eso de *ningún otro tema debemos hablarle tanto* a la gente. Hay qué insistirles acerca de su importancia. No nos cansemos de hablar del tema de la gracia de Dios, de la necesidad de vivir en paz y buena amistad con Nuestro Señor".

Grave tragedia. Cuando nuestros primeros padres, Adán y Eva tuvieron la fatal idea de que lo importante no era obrar como Dios mandaba, sino hacer ellos su propia voluntad y seguir sus caprichos, se desató sobre el mundo la más terrible cadena de calamidades y desgracias. Ellos perdieron la amistad con el

Creador, la gracia de Dios, y el cielo quedó cerrado para los seres humanos. Pero afortunadamente entre las tres Divinas Personas de la Santísima Trinidad surgió la idea más luminosa que ha existido en los siglos: el Hijo de Dios se haría hombre, viviría como el más pobre de los seres humanos, enseñaría la doctrina más provechosa del mundo, y moriría en la más atroz de las muertes y así quedaría hecha la paz entre la creatura y el Creador, y volvería a reinar la amistad entre el ser humano y Dios, y se abrirían para nosotros las puertas del cielo. Y así fue. Cuando el Viernes Santo a las tres de la tarde Jesucristo dio un gran grito diciendo *"Padre en tus manos encomiendo mi espíritu"*, e inclinando la cabeza expiró, en ese momento las puertas del cielo se abrieron para siempre, y Jesús estrechó la mano santísima del Padre Dios y la mano tan manchada de los pecadores e hizo las paces. Para eso ha venido al mundo: para conseguir para las pobres creaturas la gracia de Dios, la amistad con Nuestro Señor.

Si nosotros vivimos en pecado y no nos esforzamos para vivir en paz y amistad con Dios, hemos hecho perder a Cristo su venida al mundo por salvarnos.

El diamante más grande del mundo

Sucedió en el Brasil. Una viejecita encontró en un pozo de la quebrada, mientras lavaba la ropa, una piedra que producía resplandores. La llevó a su pobre rancho y la puso de tranca para mantener abierta la puerta. Un día llegó un caminante y al ver la curiosa piedra le ofreció $5.000 por ella a la viejecita. Ella considerando esto un gran negocio se la vendió. El caminante fue a la ciudad y vendió la tal piedra por $100.000 a un negociante en piedras finas, y le pareció haber hecho un buen negocio. Pero aquel negociante llevó la piedra al Banco Nacional, y allí le dieron cien millones por la maravillosa piedra que resultó ser el diamante más grande del mundo.

La viejecita creía que lo más que valdría serían 5.000. El caminante se imaginaba que no valía más de cien mil. Pero los que sí sabían de tesoros se dieron cuenta que valía muchos millones. Así pasa con la gracia de Dios. Quien no conoce su valor la pierde por cualquier nonada: por un placer sensual, por robar o mentir o pelear, o por tener una amistad que no le conviene. Pero quienes sí conocen el inmenso valor de la gracia de Dios, prefieren perder todo lo demás con tal de no ir a perder la amistad con Nuestro Señor y conservarse siempre con el alma libre de todo pecado grave.

¿Qué tanto aprecio tengo yo a la gracia, a la amistad con Dios? Podré repetir lo que decía San Luis, rey de Francia: "*preferiría todos los males del mundo con tal de no perder la gracia de Dios,* la blancura y belleza de mi alma?". ¿De veras que sí? Ojalá que sí!

2o. La segunda razón por la cual es tan importante vivir en gracia es:

Porque el premio o el castigo de una persona en esta vida y en la otra depende en gran manera de que viva en gracia de Dios, o viva en pecado.

Jesús decía: "*Yo soy el árbol. Uds. son las ramas. Si una rama se desprende del árbol se seca y ya no puede producir frutos y no sirve si no para echarla al fuego*". Cuando estamos en gracia de Dios somos ramas que reciben toda la savia divina y así logramos producir muchos frutos para la vida eterna. Una santa decía: *"Más premio tendré si estando en gracia de Dios levanto un papel del suelo, por amor a Nuestro Señor, que si estando en pecado obro maravillas de valor y de heroísmo"*. Qué negocio tan grande resulta el vivir en gracia, en amistad con Dios: todo lo que hacemos, y sufrimos se nos convierte en premio para la eternidad!

La indulgencia plenaria. La Iglesia ha declarado que quien vive en gracia de Dios, o sea sin pecado grave en el alma, al ofrecer cada día al Señor lo que hace, lo que sufre y reza, gana *una indulgencia plenaria, o sea se le borra toda la pena o castigo que por sus pecados le debía a la Justicia Divina.* Esto es algo admirable. Por eso San Francisco de Asís a las personas que ganaban la indulgencia las llamaba: *"millonarias"*, y les decía: "Uds. que viven en amistad con Nuestro Señor y ganan la indulgencia plenaria, son las gentes más ricas y millonarias del mundo. Nadie les iguala en riqueza para la eternidad". En cambio quien viva en pecado mortal se priva de estos tesoros y se queda con las manos vacías para la eternidad.

3o. El alma en gracia es un ser inmensamente hermoso

Santa Catalina decía: "Si viéramos un alma en gracia de Dios, eso sería lo último que lograríamos ver en esta tierra, porque nos moriríamos de emoción". Algo parecido enseñaba San Juan Bosco a sus discípulos cuando les decía: "Si vieran lo admirablemente hermosa que es un alma en gracia de Dios, se entusiasmarían tanto por vivir siempre en amistad con Nuestro Señor, que preferirían mil muertes, antes que cometer un pecado mortal".

En cambio Santa Teresa exclamaba: "Si la gente viera lo horrible que es un alma en pecado, adquiriría tal asco y antipatía hacia todo lo que sea ofender a Dios, que ya no sería capaz de cometer un pecado grave.

El pollito y la araña. Si junto a nosotros en la mesa de trabajo colocan un lindo pollito blanco cantando el pío pío, y al lado una tenebrosa araña pollera con sus patas negras y horribles y su ponzoña mortal, ¿cuál de estos dos seres preferiremos? Pues algo semejante nos puede suceder junto a Dios: o nos presentamos ante El como seres hermosos, atrayentes y simpáticos, viviendo en gracia de Dios, y nos acepta y nos prefiere, o en cambio nos presentamos como horribles monstruos manchados con el pecado. ¿Cuál de estas dos presentaciones será la que en este día tenemos ante el buen Dios? Si estamos en gracia, le somos simpáticos, pero si estamos en pecado le somos antipáticos. ¿Estamos en gracia? Si no lo estamos, pues... a ponernos en gracia!

Recordemos que Dios y los ángeles en lo que más se fijan no es en nuestro cuerpo que pronto se va a convertir en pus y gusanos en una tumba, o en cenizas en un crematorio, sino en nuestra alma que nunca morirá y que va a vivir eternamente. Sería un grave error dedicarnos a hermosear y cuidar este cuerpo que pronto se va a morir, y en cambio dejar descuidada y leprosa el alma que es la que va a vivir para siempre.

4o. La cuarta razón por la cual vale la pena vivir en gracia es porque nuestro puesto en la vida eterna va a depender del grado de gracia y amistad con Dios, que hayamos tenido en esta tierra.

El invitado que no se quiso poner el vestido de fiesta

Contó Jesús el ejemplo de un invitado que al entrar en el salón del banquete del rey no quiso colocarse el vestido de fiesta que allí en la puerta ofrecían a todos, y se quedó con su vestido sucio y lleno de manchas. Y al entrar el rey a saludar a los invitados vió que todos estaban muy elegantes con sus vestidos de fiesta, menos uno que estaba cubierto de harapos y con vestidos sucios. El rey lo regañó por esa falta de respeto y mandó echarlo afuera a las tinieblas exteriores.

De este ejemplo podemos deducir fácilmente que en el banquete de Dios, serán muy bien recibidos quienes lleven el traje de fiesta que es la gracia, la amistad con Nuestro Señor, pero quien se presente con el vestido sucio que es el no estar en gracia de Dios, el vivir en pecado mortal, será echado fuera, donde será el llorar y el crujir de dientes.

Si hoy me muriera ¿podría ir al banquete del reino celestial y lograr que me admitieran allí como invitado agradable? ¿O más bien tendré el alma tan manchada y tan empecatada que me expulsarían de ese banquete por mi mala presentación espiritual? Todavía puedo poner remedio a esto! Quiero escuchar la voz del Señor que me dice en el salmo 94: *"Hoy si escuchan la voz de Dios, no endurezcan su corazón"*. Quiero declararle la paz a Dios y vivir en su santa amistad todos los días que me quedan de vida en este mundo.

¿Y COMO LOGRAR CONSERVARSE EN GRACIA DE DIOS?

Muchos dirán: "Muy bueno y provechoso esto de vivir en gracia de Dios. Pero ¿cómo lograr conseguirlo? Porque esto es de lo más difícil que hay en la vida.

Sí, vivir en gracia, sin pecado grave en el alma, es tremendamente difícil. Pero la Iglesia en sus 20 siglos de vida ha encontrado y experimentado unos remedios que son supremamente eficaces y producen efectos portentosos. Vamos a recordarlos enseguida.

1o. *Evitar el error de Pelagio.* Hace más de 1500 años vivió un hereje llamado Pelagio que recorría el mundo afirmando que cada persona, si quiere, puede por sus solos esfuerzos, conservarse en gracia de Dios, sin pecado en el alma.

Los obispos de todo el mundo, dirigidos por San Agustín levantaron su voz de protesta, diciendo que eso que enseñaba el tal Pelagio era una peligrosa herejía. San Agustín recordaba con tristeza cuantos años estuvo él tratando de evitar el pecado con sus solos esfuerzos y no logró sino hundirse cada vez más y más en el fango del vicio. Hasta que logró descubrir que lo que nos hace vencedores del mal y del pecado es la ayuda de Dios, la cual se consigue con la oración.

Así *que el primer remedio para poder vivir en gracia es* LA ORACION. En esto sí que se cumple lo que dijo Jesús: *"Sin Mí, nada podrán hacer"*. Y también lo que afirmaba San Alfonso, tan gran conocedor de almas y de conciencias: "En cuanto a la lucha contra el pecado la gente se divide en dos grupos, no en fuertes y débiles, sino en personas que sí saben rezar y rezan debidamente y a tiempo, y personas que o no rezan, o rezan muy poquito o muy mal". Bien puede uno hacer el firmísimo propósito de no pecar, si no pide la ayuda de Dios, en llegando la ocasión, y en agradando, caerá irremediablemente todas las veces. La más triste experiencia lo confirma.

Un consejo práctico. Un santo educador recomendaba a sus seguidores que en la Santa Misa, en el momento en el que el sacerdote eleva la Santa Hostia, a la hora de la Consagración, y en la elevación del cáliz, elevaran la vista, miraran a Cristo y le dijeran: *"Señor líbrame del pecado, y consérvame en gracia de Dios".* Y que lo mismo le dijeran a la Virgen Santísima cada noche al rezarle las tres avemarías antes de acostarse: "Madre mía, líbrame del pecado y consérvame en gracia de Dios". Y decía que con este consejo había logrado conservar muchas personas en la amistad con Dios.

¿Cuántas veces pido yo a Dios la gracia de no ofenderlo con el pecado y de conservarme en gracia, o sea en su santísima amistad? Hay favores que si no piden muchas, muchísimas veces, no se logran conseguir.

2o. Remedio: estimar muchísimo la gracia de Dios

Nadie ama lo que no estima. Pero lo que estimamos inmensamente haremos lo más posible por no perderlo. Y si la amistad con Dios, la gracia, la estimamos como el mayor bien que podemos tener, entonces sí que haremos los mayores esfuerzos por no perderla.

El caso de Sancho Panza. Cuenta el libro de Don Quijote que cuando al gordito Sancho Panza lo nombraron (por burla) gobernador de una ínsula, quisieron probar qué tanto criterio práctico tenía el hombrecito aquel. Y un día llegó una mujer

llorando a pedirle justicia, alegando que mientras viajaba sola por un camino, un hombre atrevido le había irrespetado su pureza. Sancho llamó al otro y le preguntó si era cierto. El dijo que sí, pero que eso pasaba por ponerse las mujeres a viajar solas por caminos tan solitarios. Sancho mandó que le diera en compensación por esa falta, una bolsa llena de monedas de oro. El hombre se la regaló y la mujer se fue muy contenta con sus monedas. Pero enseguida le dijo Sancho al tipo aquel que se fuera por el camino y tratara de quitarle a la mujer la bolsa con las monedas. Al rato llegó ella llorando, despeinada, sudorosa, rasguñada, a decirle al gobernador que aquel pícaro había vuelto a atacarla.

-Dígame joven -le dijo Sancho- ese sinvergüenza logró robarle las monedas?

-Ah, eso si no! Prefiero que me maten, pero no permito que me roben una sola de las monedas de oro -respondió la mujer. -Bueno, bueno -exclamó el tranquilo Sancho Panza -Con que para no dejarse robar unas monedas de oro prefirió quedar despeinada, y herida, y en cambio cuando trataron de robarle su pureza, ¿entonces sí no opuso ninguna violencia? Eso es señal de que Ud. no estima debidamente su pureza. Por eso, señor policía, quítele las monedas a la mujer y devuélvaselas al hombre, pues ella no merece premios ya que no aprecia debidamente su dignidad de mujer.

Este caso es muy diciente: nos demuestra que si alguien aprecia fuertemente algo que posee, prefiere hacer cualquier sacrificio antes que perder su tesoro. Pero en cambio por aquello que apreciamos muy poco, no estamos dispuestos a hacer ningún sacrificio costoso por no perderlo.

¿Cuál es el aprecio que yo tengo por la gracia y amistad con Dios? Los esfuerzos que hago cada día por conservarla son la medida del aprecio que le tengo. Pero también si fácilmente la pierdo por cualquier capricho de mi sensualidad o de mi egoísmo, demuestra esto el poquísimo aprecio que le tengo. Y esa falta de aprecio puede ser fatal!

La joven de los Retiros

Una vez hicimos unos Retiros Espirituales o Misiones con las jóvenes campesinas de un pueblo de Colombia. El último día de aquella Misión teníamos la Misa para todas las ejercitantes en el poblado, pero para que ellas lograran volver a tiempo a sus lejanas veredas dispusimos hacer la Misa al amanecer y tenían que viajar a pie por varias horas. Les recomendamos que ninguna viajara sola por esos sitios tan solitarios. El tema de la predicación había sido: la Gracia de Dios y su importancia, y los sacrificios que hay qué hacer para no perderla. Y sucedió que una de aquellas muchachas tuvo que viajar sola hacia la iglesia por la madrugada, porque no encontró quién la acompañara, y se arriesgó a hacer tan peligroso viaje. Yendo por la orilla de la carretera, de pronto sintió que un camión frenaba junto a ella. El chofer del camión se bajó de su carro y tratando de echarle el brazo por sobre el hombro le dijo:

-Cielito lindo, ¿me da un abrazo?

-Cielito lindo será su abuela - le dijo la joven esquivándole.

-¿Estás solita? Te quiero abrazar.

-Mire -le respondió ella valientemente -Estoy haciendo unos Retiros espirituales y allá nos han enseñado a morir antes que pecar. Así que aquí llevo una navaja y si Ud. trata de irrespetarme, sabré defenderme hasta la muerte.

El otro creyó que no era cierta esa determinación y se acercó para abrazarla, pero ella rápidamente le hizo una cortada en el pecho con su navaja y salió corriendo.

Al día siguiente fuimos a visitar al hombre en el hospital. En el pecho tenía una venda de esparadrapo (parecía el Presidente de la nación con su banda presidencial el día de su posesión) -Le dijimos: -Hombre ¿qué le sucedió?

-Fue un accidente-

¿Si? ¿Un accidente? Lo que sucedió fue que se encontró con una muchacha que prefirió la muerte antes que dejarse irrespetar... Y dicen que ese chofer, que sanó muy pronto, cuando viaja por la noche por las carreteras solitarias y ve una muchacha por allí sola, siente deseo de bajarse y abrazarla, pero luego piensa: -Y si de pronto hizo Retiros y allá le enseñaron a apreciar la gracia de Dios?... Y por si acaso, pone el acelerador a su camión y sigue su viaje sin molestarlas.

Si hoy me envía Dios un ángel con la calificación que merezco por los sacrificios que he hecho por mantenerme en gracia de Dios, ¿cuál será mi calificación? De todos modos esa calificación me será dada el día del Juicio, y me conviene que sea buena.

Y LOS OTROS NUEVE ¿DONDE ESTAN?

Uno de los diez leprosos curados volvió y se arrodilló ante Jesús y daba gracias a grandes voces

- 23 -

¿QUIERE SER FELIZ?

CULTIVE LA GRATITUD

Uno entre diez. Un día viajaba Jesús por los campos de Israel acompañado de sus discípulos, cuando se oyó a lo lejos el traquetear de unas latas que se golpeaban, y el grito de unos enfermos que decían: "Aléjense de aquí; somos leprosos". La ley mandaba que el leproso debía vivir fuera de las ciudades y poblados y gritar a las gentes que pasaban cerca que era leproso y que se alejaran para no contagiarse de la enfermedad. Las gentes compasivas les dejaban sobre las piedras del camino algún alimento o unas monedas y se alejaban rápidamente para evitar el contagio. Y aquel día no era un solo leproso el que se acercaba, sino diez enfermos. El peligro era grande y los discípulos estaban dispuestos a salir huyendo.

Pero Jesús no le tiene asco a ningún enfermo, ni miedo a nadie, y los esperó allí tranquilamente. Los diez leprosos se quedaron a distancia y le gritaron: *"Jesús, Maestro, ten compasión de nosotros"*. Eran pobres enfermos destrozados por la enfermedad, que les había carcomido las coyunturas de las manos y los pies, les tenía achatada la nariz, les había llenado de tumores el rostro y les producía un olor repugnante en su aliento. Eran unos verdaderos monstruos que causaban repugnancia y pavor. Y ningún médico se arriesgaba a tratar de curar ni detener tan espantosa enfermedad.

Jesús al verlos se conmovió y les dijo:

-Vayan y se presentan a los sacerdotes.

Y mientras iban por el camino quedaron instantáneamente curados de su horrorosa enfermedad. Aparecieron otra vez los dedos que se les habían caído; desaparecieron los tumores de su cara y el mal olor de su aliento y su piel quedó tan hermosa como la de uno de esos niños que las mamás llevan en sus brazos.

Cualquiera podría pensar que lo primero que estos hombres hicieron al verse libres de la más espantosa enfermedad del mundo, fue devolverse y darle gracias al Médico Divino que les concedió tan portentosa curación. Pero no fue así. De los diez curados, sólo uno de ellos (y era un no israelita) volvió a darle gracias al Señor, y lo hizo de rodillas y con grandes voces de gratitud y alabanza.

Y este Jesús que siempre vivía alegre y contento y que no se quejaba de ninguna pena que le sobreviniera, aquel día sí se puso triste y los apóstoles lo vieron tan apenado como si fuera a llorar. Y exclamó.

¿No quedaron curados los diez? *¿Y los otros nueve dónde están?* ¿No ha habido quien volviera a dar gracias a Dios sino este extranjero? (Luc. 17,11).

¿Y los otros 9 dónde están? Esta frase de Cristo la puede repetir todos los días en todos los sitios del mundo. Todos somos prontos

para pedir ayudas, pero después no nos acordamos de dar las gracias a Dios. Cuando necesitamos algo especial corremos a los templos y nos dedicamos a orar, y eso está muy bien. Pero apenas hemos conseguido lo que necesitábamos, entonces sí que nos olvidamos de dar alabanzas a Dios. Y ese olvido está muy mal. Y por cada diez favores que nos da el buen Dios, tiene qué exclamar desilusionado: *¿y por los otros nueve favores, dónde está el agradecimiento?*

La gratitud en la Biblia

El hermoso libro de la S. Biblia, llamado El Eclesiástico, trae esta bella frase: *"Sean agradecidos, porque quien agradece un beneficio, obtiene que se le concedan muchos beneficios más".* Esta es una de las enseñanzas que deberíamos recordar más frecuentemente en la vida, porque hace un gran bien al espíritu.

Y la S. Biblia nos presenta admirables ejemplos de gratitud hacia Dios.

Recordemos algunos.

1o. NOE, al salir del Arca ofreció a Dios como sacrificio en acción por haberlo librado del diluvio, la séptima parte de todos los animales domésticos que tenía (Poseía siete parejas de cada especie, y sacrificó una pareja de cada clase de animales). Y Dios en cambio se le presentó con el Arco Iris y le prometió no volver a enviar más diluvios a la tierra (Génesis 8).

ABRAHAM al llegar a la tierra Prometida, y después cuando obtuvo victorias, siempre ofreció sacrificios de acción de gracias a Dios (ofrecía el diezmo, la décima parte de lo que había conseguido. Génesis Cap. 14) y Nuestro Señor en cambio le dijo: "Mire el cielo. ¿Puede contar las estrellas? Pues así de numerosa haré que sea su descendencia".

MOISES al salir de Egipto y pasar el mar rojo ofreció sacrificios de Acción de gracias a Dios, y el Señor le prometió: "yo estaré contigo y no te abandonaré".

DAVID compuso los más bellos himnos de acción de gracias (que se llaman Salmos) y hasta bailaba ante el Señor Dios cantando aleluyas para darle gracias por sus beneficios. Y en señal de gratitud gastó sus ahorros de 40 años en comprar los materiales para construirle al Señor un bellísimo templo. En recompensa el profeta le prometió en nombre de Dios que el Mesías o Salvador del mundo sería un descendiente suyo, perteneciente a su familia.

SALOMON el terminar el templo ofreció en sacrificio de acción de gracias a Dios miles de reses, muchas oraciones y gran cantidad de incienso. Y el Señor en cambio le concedió una sabiduría tal como no la había tenido ninguno otro en el mundo.

¿Y EN EL NUEVO TESTAMENTO?

MARIA SANTISIMA cuando es felicitada por Isabel, entona el bellísimo himno de acción de gracias que dice: *"El Señor hizo en mí maravillas, gloria al Señor.* Proclama mi alma la grandeza del Señor, se alegra mi espíritu en Dios mi Salvador".

ZACARIAS cuando nace su hijo Juan Bautista, compone el hermoso himno de acción de gracias a Dios que empieza con estas palabras: "Bendito sea el Señor Dios de Israel porque ha visitado y redimido a su pueblo".

¿Y JESUS? Verdaderamente *el mejor maestro de cómo debe ser nuestra gratitud hacia Dios es el mismo Jesucristo.* No parece sino que la acción de gracias estaba siempre en sus labios. Antes de la multiplicación de los panes levantó los ojos al cielo y dio gracias al Padre por permitirle hacer tan grande prodigio. Cuando veía a la gentecita sencilla que se acercaba con tanta fe a escucharle exclamaba: *"Gracias Padre porque has revelado a la gente humilde estos secretos que has ocultado a los sabios".* El día que fue a resucitar a Lázaro, antes de obrar tan portentoso milagro levantó los ojos al cielo y dijo: *"Gracias Padre, porque siempre me escuchas".* Y cuando instituyó la Sagrada Eucaristía en la Ultima Cena, lo primero que hizo fue pronunciar la acción de gracias. Como que *para El lo más bello de la oración era dar gracias al Padre Dios.* ¿Lo será también para nosotros sus seguidores?

¿Y de qué habrá qué dar gracias?

Imaginemos que viajamos en un helicóptero y visitamos 5 puntos especiales. 1o. *Llegamos a un instituto de sordomudos,* Le están enseñando a uno de ellos a pronunciar una palabra muy sonora: *"hermano".* Le han puesto parlantes en los oídos. Le hacen señas para que aprenda a mover los labios y la lengua. Y le invitan a hacer un esfuerzo supremo y pronunciar esa palabra. El joven saca todo el aire de sus pulmones y logra decir *"Heerrrmanno".*

Y dos grandes lágrimas de emoción brotan de sus ojos. Ha sido la primera palabra que ha pronunciado en su vida. Dentro de un mes, si siguen fielmente los ejercicios, obtendrán que pronuncie su segunda palabra. Mientras tanto sus compañeros están viendo un programa de Televisión. Ven pero no oyen... Y nosotros *¿Hablamos y escuchamos perfectamente? ¿Y cuántas veces le hemos dado gracias a Dios por este gran don? y le damos gracias hablando de lo bueno y escuchando solamente lo que a El le agrada?* O en cambio ¿hablamos de lo que a Dios le desagrada o escuchamos lo que hace mal para nuestra alma? Sería una horrible ingratitud para con el Creador.

2o. ***Llegamos al instituto de ciegos.*** Están allí en recreo en el patio. Van de la mano aquellas personas jóvenes, de a tres en grupo. De pronto una de ellas dice: "ya vamos llegando a la pared", y se vuelven. Nunca han visto la luz del sol, ni el color de una rosa, ni el rostro de la propia madre, y estarán así en continuas sombras hasta la muerte. *¿Y nosotros? ¿Con estos ojos maravillosos que Dios nos dió, cuántas son las veces que le hemos dicho un "Bendito seas" por ese regalo tan grande?* ¿Y nuestro agradecimiento hacia El se manifiesta en gastar la vista en leer la S. Biblia y buenos libros y en mirar el crucifijo para amar más a Jesús, y en contemplar el cielo y recordar lo que nos espera en la eternidad, y en cerrar los ojos cuando aparezca una escena mala en TV, y en dirigir la vista a otro lado cuando se presenta una persona vestida indecentemente? Ese es un modo muy práctico de dar gracias al Señor por el don de la vista. Pero si en cambio miramos escenas inmorales, o nunca leemos la S. Biblia ni libros religiosos, ni hacemos el sacrificio de no mirar personas o imágenes inmorales, ¿cómo podremos entonces decir que sí somos gente agradecida con el Dios misericordioso que nos regaló el don de la vista?

3o. Vamos al hospital de paralíticos. Alguien está allí en una cama sin poder mover ni siquiera un dedo. En un accidente se le rompió la columna o tuvo un derrame cerebral. Qué martirio tan espantoso. Dios nos libre de semejante mal! Y pienso: yo que ando y corro y me muevo con agilidad, en verdad *¿me acuerdo de darle gracias a mi Dios por esa magnífica salud que me ha regalado?* ¿Y le doy gracias dedicando mi vida a ser útil a los demás y a hacer el mayor bien posible? ¿O pierdo miserablemente el tiempo y estas energías preciosas que tanta gente paralítica desearía tener para poderse mover y hacer mucho bien?

4o. Llegamos al cráter de un volcán. Allí está una muchacha japonesa. No tiene religión. Nadie le ha hablado de Jesucristo ni de la misericordia de Dios. No cree en la eternidad, ni en cielo, ni en infierno, porque nadie le ha enseñado la verdadera religión. Se lanza entre las llamas del volcán pero antes deja allí en la orilla un papel que dice: "Me suicido porque he cometido un gran pecado y no tengo quién me lo perdone". Ah, ¿si esa joven hubiera sabido que el Hijo de Dios se vino del cielo para pagar nuestros pecados y que está día y noche intercediendo ante el Padre Celestial por nosotros los pecadores y que ha dejado a sus sacerdotes el poder de perdonar los pecados, y nos ha dado a su amabilísima Madre como madre nuestra, en vez de suicidarse, habría confiado en la misericordia de Dios, y habría obtenido el perdón y la paz. Y nosotros que sí poseemos la verdadera religión, ¿cuántas son las veces que le hemos dado gracias al Altísimo por la admirable preferencia que nos ha tenido? ¿Y nuestra gratitud se ha demostrado en enseñar a otros la religión, en invitar personas a la santa Misa, a repartir y a aconsejar libros religiosos y espirituales y en ayudar económica y espiritualmente a las obras de nuestra Iglesia Católica? ¿O en cambio hemos tenido la espantosa ingratitud de dejar de asistir a la Santa Misa los domingos, o de no leer libros de religión, o de no gastar ni tiempo, ni dineros ni energías en propagar nuestra santa religión? Cuidado: porque una religión y una fe que no se agradecen a Dios, pueden perderse!

5o. ***Visita a un rancho campesino.*** Imaginemos que seguimos viajando en el helicóptero y llegamos a un lejanísimo y humilde ranchito pobre de una familia campesina. Allí contemplamos la escena que en un día de misión pude presenciar. Una muchacha junto a un fogón soplando la leña verde y húmeda y cocinando el almuerzo para los peones. Al vernos llegar levanta la cabeza y notamos que unas gruesas lágrimas ruedan por sus mejillas.

-Muchacha, ¿por qué está llorando?

-Es que yo desearía ir a estudiar. Pero mis padres son supremamente pobres, y en los alrededores no hay escuelas ni colegios. ¿Por qué otras personas sí pueden estudiar y en cambio yo tengo que quedarme siempre en mi ignorancia y en mi pobreza? -Y estalla en llanto.

¿Y nosotros? Dios nos socorrió medios económicos. Y nos dio facilidades para estudiar. *¿Y sí en verdad le estamos agradecidos por todo ello?* ¿De veras? ¿Damos gracias al Señor por sus ayudas económicas siendo también nosotros muy generosos con los necesitados y ayudando a otras personas para que puedan estudiar también?

¿Aprovechamos el tiempo instruyéndonos cada día más y más? ¿O en cambio somos tacaños y no socorremos a los pobres, y perdemos el tiempo miserablemente y no nos preocupamos por instruirnos debidamente? Dios nos lleva estricta cuenta de todo esto.

Hay una verdad religiosa que ha sido comprobada por siglos, y dice así: *"Muchos favores y regalos de Dios se pierden porque no se agradecen"*. Y ahora podemos volver a repetir aquí lo que escribía un famoso autor antiguo al final de cada capítulo del libro de sus enseñanzas: *"De nuevo se prueba lo dicho con algunos ejemplos"*.

Una mujer joven, separada de su marido y sufriendo espantosa soledad nos decía: "Mientras tuve un hogar y dicha, y alegre compañía, nunca me acordé de darle gracias a Dios por todo ello, y no iba a misa ni rezaba. Ahora en mi soledad comprendo que perdí los regalos que Dios me había dado, porque nunca se me ocurrió darle gracias por ellos.

Un paralítico del hospital **nos contaba:** "Cuando tuve perfecta salud jamás se me ocurrió darle gracias a Nuestro Señor por ese don suyo. El párroco de mi pueblo me decía: Vaya a misa cada domingo y no se ponga a trabajar en día de fiesta, porque a Dios hay qué tenerlo contento y no disgustado" -Pero no le hacía caso. Jamás iba a la misa.

Y un domingo me fui a cuidar el ganado. El caballo en el cual yo galopaba no vio una cuerda de alambre extendida por el suelo y caímos, pero caí debajo, y el peso del caballo me rompió la columna vertebral. Llevo seis meses quieto en esta cama viendo solamente las vigas del techo. Ojalá otros que gozan de buena salud se acordaran de darle gracias a tiempo a Nuestro Señor y de no exponerse a perder semejante cualidad tan grande que es la buena salud, por tenerlo a El disgustado y por no ser agradecidos con el Dios del cielo".

¿Qué favores de Dios estaré en peligro de perder, por no sabérselos agradecer? Dios que es tan bueno me ilumine a tiempo y me conceda un corazón agradecido.

Recomendaciones de un Apóstol

San Pablo en la Carta a los Colosenses hace una recomendación que nunca se nos debería olvidar. Dice así: *"Sean agradecidos"* (Cols. 3,5). Y a los Tesalonicenses les recomienda: *En todo den gracias a Dios, porque esto es lo que El desea* (1 Tes. 5,17) y a los Efesios aconseja: *"Den gracias siempre a Dios, por todas las cosas"*. Y a sus muy amados filipenses les escribe diciéndoles: *"Que sus oraciones y peticiones vayan siempre acompañadas de acciones de gracias"*. Seguramente que estas frases nos las dice hoy Dios a cada uno de nosotros.

Frase para recordar. En algunos templos muy antiguos se leía una recomendación escrita con letras muy grandes: "RECUERDE Y AGRADEZCA". Qué provechoso sería para nosotros tener esta frase como lema o programa para cumplir frecuentemente: recordar los favores recibidos de Dios y de los prójimos y agradecerlos. No cansarnos nunca de dar gracias. Recordar y agradecer.

Los tres taxistas. En mis frecuentes viajes he trabado conversación con muchos taxistas, pero recuerdo especialmente a tres. Uno de ellos me llevó hasta el aeropuerto, y durante el viaje me fue contando que cuando llegó a la capital era totalmente pobre; que se empleó como ayudante de un camión. Que más tarde consiguió un taxi viejo. Que pasado el tiempo se casó, y que luego consiguió otro taxi. Y compró casa y educó sus hijos... *y en toda esta larga narración no le escuché ni siquiera una vez decir "Bendito sea Dios, gracias a Dios".* Como si todos estos éxitos los hubiera logrado por sólo sus esfuerzos sin la ayuda poderosa y generosa de Nuestro Señor. Es una lástima olvidar de quién hemos recibido todo lo que tenemos!

Un segundo taxista que recuerdo es el de una ciudad de clima caliente, al cual le pregunté: *-¿Cómo le va?- y me respondió: -"Ahí... regular". -Cómo- le añadí-* ¿tiene algún familiar enfermo? -Oh no, toda mi familia está sana y bien- -Pero, ¿le ha sucedido algún accidente últimamente? -No, nunca he tenido accidentes -¿O es que el trabajo de taxista está malo? -No señor; este trabajo es bueno y produce-.

¿Entonces por qué me dice que le va regular? Le pregunté. Volteó la cabeza, me miró con qué ojazos bien abiertos y exclamó:-Desagradecido que es uno! En verdad que no me va regular, sino muy bien.-Y yo pensaba: Siempre que decimos que nos va regular y no bien, es que olvidamos las mil cosas buenas que nos suceden y sólo recordamos lo poquito malo que nos acontece.

El tercer taxista es un hombre verdaderamente creyente y piadoso que me recogió un día en el aeropuerto, en todo el largo viaje hasta la ciudad me fue contando lo bueno que Dios ha sido con él. *Por lo menos le oír repetir diez veces el "Bendito sea Dios" o el "gracias a Dios".* Me contaba que por años había pedido a Dios que le diera una buena esposa. Que no hizo caso a muchas mujeres muy hermosas pero no muy virtuosas. Que le parece que no se merece esa mujer tan buena que Dios le dio. Que sus hijos son su alegría y su consuelo. Que por bondad de Dios logró conseguir una casa en muy buenas condiciones. *Que cada día hace una lista de favores recibidos de Nuestro Señor y le da las gracias...* El viaje se me hizo muy corto y supremamente agradable, y me llegaba a la memoria aquello que un gran educador afirmaba: *"Quien recuerda los favores recibidos y los agradece, está demostrando con ello que tiene un buen corazón y muy buenos sentimientos".*

El aviso de un inválido. Un hombre al cual le faltaba una pierna y un brazo y que estaba siempre sonriente y contento, le dijo a uno que estaba muy sano pero que mostraba un rostro triste y demasiado serio.

-Usted tiene muchas cosas qué agradecer y se la pasa todo el día gruñendo. A mí me falta un brazo y una pierna y tengo la cara cortada y trato de vivir contento, ¿y Ud. *con el 90 por ciento de las cosas que le resultan bien, vive pensando en el diez por ciento que andan mal?*

Y el otro contaba después:

-Mi vida cambió desde el día en que me empecé a acostumbrar a recordar las cosas buenas, por las cuales debería estar agradecido.

Con razón decía Jhonnson: *"La mejor posesión que he adquirido es la costumbre de ver el lado bueno de lo que me sucede y de lo que tengo.* Esto me vale más qué ganarme varios millones cada año. Porque la ingratitud lleva a vivir triste y con desánimo, pero la gratitud llena la vida de alegría y entusiasmo.

Santo Tomás Moro afirmaba: Nosotros tenemos un gran defecto que consiste en que lo bueno y lo alegre que nos sucede lo

escribimos como en la arena y se borra muy fácilmente de la memoria. En cambio lo triste y desagradable lo escribimos como en mármol para que no se borre nunca jamás de nuestro recuerdo".

Una triste encuesta. La Editorial Herder hizo esta encuesta en América del Sur: *-Ud. ¿para qué le reza a Dios?* Y las respuestas fueron: El 90%: para pedirle favores. El 20% para pedirle perdón. (0.0% para adorarlo). Y ...solo el 10% para darle gracias. O sea que, según esa encuesta, ***de cada 100 personas que le rezan a Dios, solamente 10% lo hacen para darle gracias.*** Qué diferencia con los Salmos en la S. Biblia que tienen como fin adorar a Dios, felicitarlo por lo bueno y generoso que es y darle gracias por sus continuos favores.

"DOS COSAS HAY QUE BUSCAR EN LA VIDA, decía un sabio: la primera: conseguir lo bueno que queremos conseguir. Y la segunda: disfrutar de eso bueno que se ha conseguido". Y añadía: Solamente la gente agradecida logra lo segundo. Y esto los hace más felices.

Una buena costumbre digna de ser imitada

Un apóstol moderno decía:

"De vez en cuando cierro el libro que estoy leyendo, o suspendo el trabajo que estoy haciendo y digo: *"Padre nuestro que estás en los cielos: gracias, gracias, gracias".* No quiero ser un ciego que viaja por la vida sin ver las maravillas que Dios nos ha dado. No quiero ser como el ahíto que ya no tiene paladar para gustar lo sabroso que Dios ha puesto en la existencia. Quiero ser como aquel de los diez leprosos que volvió a darle gracias a Jesús por el milagro recibido".

También nosotros cuando estemos en nuestra habitación o tengamos un rato libre (por ej. mientras viajamos) pensemos en estos ojos maravillosos que Dios nos dio (que ninguna fábrica de lentes será capaz de hacer algo tan perfecto como ellos). Recordemos estos oídos formidables que poseemos (que ni Sony, ni Philips, ni Sanyo u otra compañía internacional es capaz de hacer algo igual) y en este cerebro nuestro al cual ninguna computadora del mundo es capaz de igualar, y en este nuestro corazón, la maravilla de las maravillas, y en estos pies y estas manos, y este cuerpo obra maestra de la Sabiduría Divina y digamos: *Padre nuestro que estás en los cielos: gracias, gracias", gracias".*

Pensemos en la familia tan cariñosa que hemos tenido, en ese Dios que nos espera con sus premios en el cielo, en Jesucristo que ruega cada día por cada uno de nosotros, en el Espíritu Santo que nos guía y nos ilumina, en la Madre Santísima María que nos ama y nos defiende mejor que la mejor madre de la tierra. Recordemos que tenemos la mejor religión del mundo, y digamos: *"Padre nuestro que estás en los cielos: gracias, gracias, gracias".*

Sí, digámoslo hoy y mañana y muchos días más, hasta que nos acostumbremos a ser personas verdaderamente agradecidas. Esto nos hará mucho más felices.

Y no olvidemos nunca la hermosa promesa de la Biblia: *"Quien agradece un beneficio, obtendrá muchos beneficios más".* Señor: que así sea. Amén